Jear

Histoire du Tour de France

9 *bis*, rue Abel-Hovelacque
75013 Paris

Mes remerciements vont à Xavier Bebin, Fabrice Boudjaaba, Antoine Cupillard, Céline Goffette, Vincent Gourdon, Nicolas Herpin, Aymeric Lanquetot, Jules Naudet, Vincent Previ et aux relecteurs anonymes pour leurs commentaires, ainsi qu'à Cinzia Dezi, Delphine Goffette, Virginie Lalucq et Davide Togni pour leur aide si précieuse à la recherche documentaire.

ISBN : 978-2-7071-7743-8

Introduction

Le Tour de France : histoire d'un spectacle sportif à visée commerciale

Le Tour de France est l'un des événements sportifs les plus durablement populaires en France et plus généralement en Europe occidentale et dans le monde. Comment une telle course cycliste, créée en 1903, est-elle parvenue à accroître puis à conserver son attrait auprès du public, malgré les transformations multiples et profondes qu'a connues ce public en plus d'un siècle ? De quelles façons le Tour de France a-t-il changé afin de s'adapter à chaque époque ? Et quelles évolutions de la société française l'histoire du Tour reflète-t-elle ? Les cent premières éditions du Tour, qui se sont déroulées de 1903 à 2013 avec une interruption pendant les guerres mondiales, offrent l'occasion de revenir sur l'histoire de cette institution.

Les travaux d'histoire du Tour de France ont montré que cet événement sportif reflète plusieurs transformations majeures de la société et de la culture populaire françaises des XXᵉ et XXIᵉ siècles, notamment l'avènement d'une culture de masse (chapitre I). Le Tour de France naît avec l'essor de la société de consommation, qui se révèle notamment dans l'achat de bicyclettes et de journaux sportifs. Le spectacle sportif qu'est le Tour se développe ensuite avec l'essor de la civilisation des loisirs : il illustre la place croissante des temps de congés dans l'emploi du temps des Français. Et, depuis sa création, la retransmission du

Tour évolue de pair avec les *mass media* : le journal, la radio, puis la télévision (et enfin Internet). Le Tour reflète ainsi, peut-être mieux qu'aucun autre spectacle populaire, l'émergence d'une culture de masse.

Le présent ouvrage propose d'approfondir et de compléter ces acquis de l'histoire du Tour en utilisant des données quantitatives à ce jour non exploitées : celles de la société organisatrice du Tour de France portant sur les épreuves qui se sont déroulées de 1903 à 2013, dont une partie est présentée en annexe [A.S.O. et Augendre, 2013]*. La mise en séries de divers indicateurs tirés de ces données permet d'observer les transformations les plus significatives du Tour. Ainsi, l'histoire du Tour de France n'est pas seulement le reflet d'évolutions socioculturelles globales, mais aussi le résultat, voulu ou non, des multiples décisions qu'ont prises les organisateurs de l'épreuve afin d'accroître son attractivité et sa rentabilité. Comprendre pourquoi les organisateurs du Tour ont modifié divers aspects de l'épreuve, et connaître aussi les conséquences de ces décisions, permet de mieux comprendre pourquoi le Tour de France apparaît aujourd'hui tel qu'il est.

Le Tour de France étant un événement *à but lucratif* aussi bien pour les organisateurs que pour les coureurs et les sponsors d'équipes, il convient tout d'abord de retracer l'histoire économique du Tour (chapitre II). Comment le chiffre d'affaires du Tour et les primes des coureurs ont-ils évolué ? Dans quelle mesure les choix des organisateurs ont-ils pesé sur ces évolutions ? Et quel est l'ordre de grandeur du chiffre d'affaires du Tour par rapport à celui d'autres spectacles sportifs, comme le football en France et les Jeux olympiques dans le monde ?

S'il est un événement à but lucratif, le Tour de France n'en est pas moins un événement *sportif*, dont l'organisation a sensiblement changé au fil du temps (chapitre III). Comment les organisateurs du Tour s'y sont-ils pris pour essayer de conserver son intérêt sportif ? Quand, comment et pourquoi ont-ils modifié le règlement de l'épreuve ? Quelles ont été les conséquences de ces

* Les références entre crochets renvoient à la bibliographie en fin d'ouvrage.

changements de règlement sur le parcours du Tour, mais aussi sur le nombre et les nationalités des coureurs engagés ?

Si l'événement sportif qu'est le Tour de France est lucratif, c'est parce qu'il est un *spectacle* (chapitre IV). De ce point de vue, comment ont évolué la difficulté de la course et sa dimension stratégique ? Comment ont progressé les performances des coureurs et, en lien avec elles, les pratiques de dopage ? Plus généralement, comment s'est transformé le caractère spectaculaire de la course ?

De cette histoire du Tour de France, il ressort une idée centrale : le Tour constitue avant tout un spectacle sportif *à visée commerciale*. Loin de l'amour « gratuit » du jeu prôné par certains des premiers praticiens ou organisateurs du sport moderne, comme l'aristocratie anglaise et le mouvement olympique, et loin de l'amateurisme effectivement adopté pendant la quasi-totalité du XXe siècle dans certains sports, comme le rugby, le cyclisme est, depuis qu'il existe, un sport de professionnels, rémunérés comme tels.

Dès la fin du XIXe siècle en effet, des journaux organisent des courses cyclistes afin d'accroître leur diffusion. En outre, dès la même époque, des sociétés de bicyclettes et de pneumatiques sponsorisent des coureurs cyclistes afin qu'ils gagnent ces courses et fassent ainsi la preuve de la supériorité de leur matériel. Les sociétés de bicyclettes et de pneumatiques n'organisent toutefois pas les courses elles-mêmes, sans doute parce que, en cas de victoire de leurs coureurs, le public les aurait soupçonnées de triche, réduisant ainsi la crédibilité de la publicité qu'elles désiraient faire de leurs marques [Calvet, 1981]. C'est dans ce contexte, dans lequel les courses cyclistes ont un but lucratif, que le Tour de France est créé. Dans cette perspective, le Tour est une entreprise qui, comme toute entreprise, vise à maximiser son profit et pour cela cherche à adopter les mesures les plus adéquates.

Par contraste avec les organisateurs, les coureurs et même les commentateurs du Tour, voire ses historiens, qui peuvent être tentés de dissimuler, d'euphémiser ou de négliger le fait que le Tour est une entreprise à but lucratif, le présent ouvrage montre que le Tour évolue au gré des opportunités économiques qui s'offrent à lui, et que c'est largement cet environnement économique qui explique ses évolutions majeures. Ajoutons qu'il ne s'agit là nullement d'un jugement dépréciatif : sans doute le Tour de France ne serait-il pas une si belle compétition si l'appât du gain n'avait pas conduit des journaux à organiser la course, des entreprises à sponsoriser des équipes, et des coureurs à gagner l'épreuve.

La périodisation de l'histoire du Tour que nous proposons en conclusion reflète cette idée centrale. Une première césure se produit aux alentours de la Seconde Guerre mondiale : alors que, jusqu'à cette période, le spectacle du Tour est destiné à être lu, il est désormais organisé pour être écouté à la radio puis vu à la télévision. Une seconde césure se produit pendant les années 1980 : c'est à partir de ces années que, à la suite de l'explosion des droits de retransmission télévisée, le Tour connaît sa mutation la plus profonde. Sur le long terme, l'histoire du Tour est ainsi rythmée par l'évolution des supports médiatiques de la course.

I / L'histoire du Tour de France, reflet de l'émergence d'une culture de masse

L'histoire du Tour de France, dont nous voudrions ici synthétiser quelques résultats majeurs, est une composante de l'histoire du sport et du cyclisme, dans leurs aspects non seulement économique mais aussi social, culturel et plus particulièrement médiatique. L'historiographie du Tour à proprement parler est elle aussi relativement diverse : si certains travaux abordent les aspects purement organisationnels ou sportifs de la course, la majeure partie d'entre eux traitent le Tour comme un révélateur de diverses évolutions géographiques, économiques, sociales, politiques et culturelles de la France au XXe siècle. Même si la création en 1903 du Tour de France est le fait d'industriels du cycle très largement antidreyfusards et d'un journaliste barrésien, et peut à ce titre renseigner sur l'histoire politique de la France [Bœuf et Léonard, 2003], elle apparaît surtout révélatrice de l'essor, au début du XXe siècle, d'une culture de masse : le Tour est créé alors qu'émergent la société de consommation et la civilisation des loisirs, dont un élément central est le sport [Kalifa, 2001 ; Rioux et Sirinelli, 2005]. À l'origine, le Tour de France est l'un des événements sportifs créés par le journal *L'Auto* afin d'accroître sa diffusion [Borg, 2010].

Aux origines du Tour : une rivalité commerciale sur fond d'affaire Dreyfus

En 1898, alors que le journal *Le Vélo* est le premier quotidien sportif national, son rédacteur en chef, Pierre Giffard, prend position en faveur d'Alfred Dreyfus, condamné en 1894 au bagne à perpétuité pour « intelligences avec une puissance étrangère » [Duclert, 2006]. Cette audacieuse prise de position conduit Jules-Albert de Dion, le fondateur de la société automobile De Dion-Bouton, qui est un fervent antidreyfusard en contentieux personnel avec Giffard, à retirer toutes ses annonces du journal *Le Vélo* — journal auquel il reproche, outre sa prise de position politique, les tarifs exorbitants dus à sa domination sur le journalisme sportif.

Pour se venger de Giffard, le comte de Dion contribue à faire échouer sa candidature aux élections législatives de 1900, mais surtout, avec d'autres industriels antidreyfusards comme Adolphe Clément et Édouard Michelin, il cherche à concurrencer *Le Vélo* d'un point de vue commercial en contribuant à créer, en 1900, un journal rival. Ce journal sportif apolitique, dans lequel il pourra publier ses annonces à meilleur prix et sans financer la presse dreyfusarde, c'est *L'Auto-Vélo*. Le directeur et rédacteur en chef du journal est Henri Desgrange, un ancien agent de publicité pour une marque de cycles, et son administrateur-trésorier est Victor Goddet. Créateurs en 1897 du vélodrome du Parc des Princes, Henri Desgrange et Victor Goddet sont eux aussi en contentieux avec Pierre Giffard, qui a refusé de faire dans *Le Vélo* la publicité de leur vélodrome. Mais *Le Vélo* attaque *L'Auto-Vélo* pour avoir copié son titre et, en 1903, gagne le procès : c'est ainsi qu'à partir de janvier 1903, *L'Auto-Vélo* est contraint de ne plus s'appeler que *L'Auto*.

Comment, dès lors, en ne s'appelant que *L'Auto*, le journal pourra-t-il attirer la masse de lecteurs intéressés par le cyclisme, notamment par le Paris-Brest-Paris, que *L'Auto-Vélo* a organisé en 1901 ? Comment concurrencer *Le Vélo* sur son propre terrain ? C'est dans ce contexte et afin d'accroître et de fidéliser leur lectorat que, fin 1902, début 1903, sur une idée de Géo Lefèvre, Desgrange et Goddet décident d'organiser une course cycliste qui ferait le tour de la France. Le 1er juillet 1903, jour de départ de la première édition du Tour de France à Montgeron, Desgrange écrit dans *L'Auto*, sur le ton lyrique dont il est familier : « Du geste large et puissant que Zola, dans *La Terre*, donne à son laboureur, *L'Auto*, journal d'idées et d'action, va lancer à travers la France, dès aujourd'hui, les inconscients et rudes semeurs d'énergie que sont les grands routiers professionnels. » La popularité immédiate du Tour développe les ventes de *L'Auto* au détriment de celles du *Vélo*, qui cesse de paraître dès 1904. C'est au tour de *L'Auto* de devenir le premier quotidien sportif national : il le reste jusqu'à la Seconde Guerre mondiale.

La pratique du vélo

L'essor de la société de consommation provient avant tout de la hausse du niveau de vie des Français. Le produit par tête a crû en France aux rythmes annuels moyens de 1,3 % entre 1890 et 1914 puis de 1,6 % entre 1914 et 1939 [Maddison, 2003], si bien qu'entre 1890 et 1939 il aurait plus que doublé. Cet essor du pouvoir d'achat des Français est tout particulièrement marqué pour ce qui concerne les biens, comme la bicyclette, dont la production est rapidement mécanisée puis industrialisée : alors qu'au début des années 1890 une bicyclette coûte à un ouvrier professionnel plus de 600 heures de travail, à la fin des années 1930, une machine de meilleure qualité ne lui coûte plus qu'une cinquantaine d'heures de travail (voir graphique 1). C'est ainsi que la bicyclette se diffuse à une frange élargie de la population : alors qu'en 1900 la France compte environ 2,5 bicyclettes pour 100 habitants, en 1950 elle en compte près de 30.

Graphique 1. **Prix et parc des bicyclettes en France (1893-1987)**

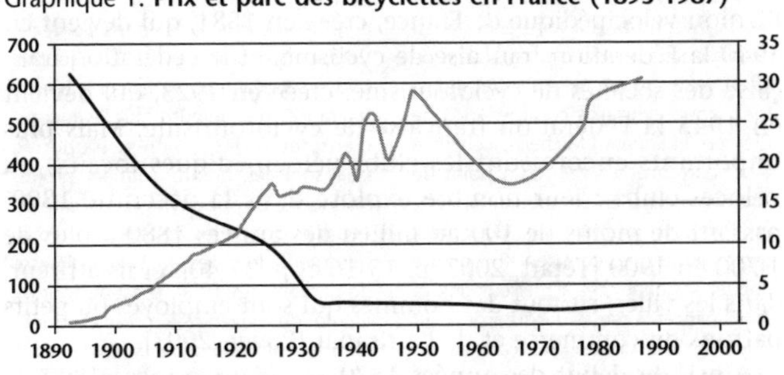

Prix réel d'une bicyclette (heures de travail d'un ouvrier professionnel) (axe de gauche)

Nombre de bicyclettes pour 100 habitants (axe de droite)

Lecture : sur le graphique 1 comme sur les graphiques suivants qui comprennent deux ordonnées, la courbe la plus foncée se rapporte à l'axe de gauche et la courbe la plus claire à l'axe de droite.

Sources : Fourastié [1989, p. 299, p. 382-383] (prix) ; INSEE [1952, p. 148] ; Gaboriau [1991] ; Calvet [1981] (parc) ; INSEE (effectif total de la population française).

Héritière de la draisienne et du vélocipède, qui avaient suscité l'engouement de quelques bourgeois excentriques sous la Restauration (1818-1820) et sous le Second Empire (1861-1870), la bicyclette devient à la mode à partir du début des années 1870 [Chany et Penot, 1997]. Sa technologie se fixe ensuite dans les années 1880 : au guidon mobile et à la pédale, présents respectivement depuis le début du siècle et depuis la fin des années 1860, s'ajoutent désormais la chaîne motrice, le pneumatique puis, au tout début des années 1900, le dérailleur (le système qui permet de moduler le développement d'une chaîne de vélo, c'est-à-dire la distance parcourue par tour de pédalier). Ce sont ces nouvelles machines, plus solides et maniables que celles d'autrefois, qui permettent aux coureurs d'effectuer des courses cyclistes sur longue distance.

Le vélo est un moyen de locomotion individuel qui, rapidement, devient relativement bon marché pour la liberté de mouvement qu'il procure. C'est aussi un sport qui donne d'intenses sensations de vitesse. La pratique cycliste se développe notamment à partir d'associations nationales telles l'Union vélocipédique de France, créée en 1881, qui devient en 1940 la Fédération française de cyclisme, et la Fédération française des sociétés de cyclotourisme, créée en 1923, qui devient en 1945 la Fédération française de cyclotourisme. Mais plus importants encore sont les clubs vélocipédiques locaux, ou véloces-clubs : leur nombre explose dans la décennie 1890, passant de moins de 100 au milieu des années 1880 à plus de 1 700 en 1900 [Tétart, 2007, p. 15-16 et p. 37-40], et ils attirent, dans les villes, surtout des hommes qui sont employés ou petits patrons du commerce et de l'artisanat [Poyer, 2003].

Ainsi, du début des années 1870 jusqu'aux années 1890, la bicyclette est un symbole de la modernité technologique et de la « vitesse bourgeoise » [Gaboriau, 1991]. Puis, au fur et à mesure qu'au début du XXe siècle le prix de la bicyclette chute et qu'en conséquence elle se popularise, les couches urbaines privilégiées commencent à lui préférer d'autres sports plus distinctifs, notamment l'automobile et l'aviation [Tétart, 2007]. Comme l'indique la comtesse Riguidi dans *L'Œuvre* du 3 juillet 1930, « la bicyclette a eu trop de succès ; elle a séduit trop de monde et les sots et les sottes, quand ils ont vu que leur boniche allait faire son marché sur une "bécane", ont déclaré que c'était un plaisir qui était indigne d'eux » [Gaboriau, 1995, p. 135]. Au bout de ce processus de diffusion sociale, dans les années 1950, le vélo est devenu symbole du quotidien populaire : c'est l'objet que les adolescents s'achètent avec leurs premiers salaires ou qu'ils reçoivent comme cadeau lors de l'obtention du certificat d'études. C'est un moyen de locomotion, bien sûr, mais aussi un outil de loisir. À partir de la fin du XIXe siècle, la bicyclette accompagne la diffusion du tourisme : en 1890 est créé le Touring club de France, promoteur du cyclotourisme, et depuis 1936 c'est à vélo qu'une bonne part des classes populaires partent pour leurs congés payés.

Pendant les années 1950 et 1960, les achats de bicyclettes baissent si fortement que le parc passe de près de 30 à moins de 20 bicyclettes pour 100 habitants (voir graphique 1). Parallèlement, le nombre de licenciés des fédérations sportives du cyclisme et du cyclotourisme stagne (voir graphique 2). En effet, le vélo, désormais concurrencé par d'autres modes de transport individuels plus rapides tels le cyclomoteur et l'automobile, incarne un passé révolu : celui de la lenteur, par rapport aux engins motorisés, et celui de l'effort, par rapport au confort moderne. Pour les adultes, la bicyclette reste associée à la période de leur jeunesse, ce dont témoigne entre autres le succès de la chanson *À bicyclette*, interprétée en 1968 par Yves Montand, qui aborde sur un ton nostalgique les émois de l'adolescence (voir encadré ci-après).

Ce n'est, semble-t-il, que la crise économique, qui réduit le rythme de croissance du niveau de vie, et la crise énergétique, qui accroît le prix relatif des carburants, ainsi que la congestion croissante des agglomérations urbaines, qui relancent à partir des années 1970 les achats de bicyclettes : après les âges de la « vitesse bourgeoise » (XIXe siècle) et de la « vitesse populaire » (première moitié du XXe siècle), la bicyclette incarne désormais la « vitesse écologique » [Gaboriau, 1991]. La pratique cycliste est alors associée, pour une population largement urbanisée, à un retour au contact de la nature, ainsi qu'au respect dû à

À bicyclette **(1968),**
paroles de Pierre Barouh,
musique de Francis Lai

Quand on partait de bon matin
Quand on partait sur les chemins
À bicyclette
Nous étions quelques bons copains
Y avait Fernand y avait Firmin
Y avait Francis et Sébastien
Et puis Paulette

On était tous amoureux d'elle
On se sentait pousser des ailes
À bicyclette
Sur les petits chemins de terre
On a souvent vécu l'enfer
Pour ne pas mettre pied à terre
Devant Paulette

Faut dire qu'elle y mettait du cœur
C'était la fille du facteur
À bicyclette
Et depuis qu'elle avait huit ans
Elle avait fait en le suivant
Tous les chemins environnants
À bicyclette

Quand on approchait la rivière
On déposait dans les fougères
Nos bicyclettes
Puis on se roulait dans les champs
Faisant naître un bouquet changeant
De sauterelles, de papillons
Et de rainettes

Quand le soleil à l'horizon
Profilait sur tous les buissons
Nos silhouettes
On revenait fourbus contents
Le cœur un peu vague pourtant
De n'être pas seul un instant
Avec Paulette

Prendre furtivement sa main
Oublier un peu les copains
La bicyclette
On se disait c'est pour demain
J'oserai, j'oserai demain
Quand on ira sur les chemins
À bicyclette

l'environnement. C'est ce dont témoigne le développement particulièrement vigoureux du cyclotourisme (voir graphique 2).

Le Tour et la société de consommation

Le Tour de France s'inscrit pleinement dans la société de consommation émergente au début du XXe siècle. Depuis sa création, le Tour est un spectacle sportif à visée commerciale, dont le modèle économique est le suivant : les organisateurs créent un spectacle cycliste qui est certes gratuit pour les spectateurs aux bords des routes mais qui peut être profitable dans la mesure où, du fait qu'il est suivi par un public nombreux, il parvient à attirer des annonceurs [Desbordes, 2009]. Plus précisément, les organisateurs du Tour, à savoir les propriétaires des journaux

Graphique 2. **Nombre de licenciés des fédérations sportives cyclistes (1910-2011)**

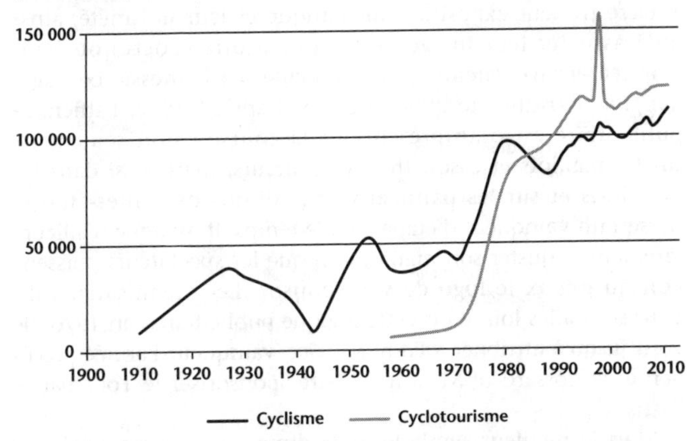

Sources : Lefèvre [2007] (1910-1943) ; Tétart [2007] (1944-1982) ; Andreff et Nys [2002] (1988) ; MEOS [2012] (1991-2011).

L'Auto puis, après guerre, *L'Équipe* et *Le Parisien libéré*, ne tarifent pas le fait d'assister à la course, ce qui est une des raisons de l'affluence. Mais ils vendent d'une part à certaines villes-étapes et à certaines sociétés le droit de faire leur publicité, sportive ou autre, sur le trajet de la course, et d'autre part à certains diffuseurs le droit de relater ou de retransmettre l'épreuve. Le fait de relater ou de retransmettre le Tour engendre à son tour des recettes publicitaires : en France, c'est le cas au début du XXe siècle pour le journal à grand tirage qu'est *L'Auto* et au début du XXIe siècle pour les chaînes télévisées France Télévisions. Ces diverses recettes — contributions des villes-étapes, sponsoring de marques, recettes liées soit au surcroît de diffusion de *L'Auto* soit à l'attribution des droits de retransmission télévisée — ont toujours formé la quasi-totalité du chiffre d'affaires du Tour.

Le Tour de France peut ainsi être considéré comme un élément de la société de consommation. Les annonceurs qui sponsorisent et financent les équipes sportives (ou « groupes sportifs ») et le Tour lui-même sont des marques qui cherchent à accroître leur exposition médiatique et leur notoriété, ainsi qu'à associer leur image de marque à une vedette ou à un trophée et aux valeurs qu'ils véhiculent : jeunesse, courage, *fair-play*, réussite, etc. (voir encadré ci-après). Ainsi, l'affichage publicitaire est omniprésent sur la course : non seulement sur les maillots et casquettes des coureurs, mais aussi dans les pavillons et sur les panneaux et podiums des villes-étapes. Lorsqu'un vainqueur d'étape en a le temps, il manque d'ailleurs rarement d'ajuster son maillot afin que les spectateurs puissent voir au mieux le logo de son sponsor. Les organisateurs du Tour sont allés loin dans cette logique publicitaire : en 1970, ils vont jusqu'à attribuer à Eddy Merckx, vainqueur l'année précédente, le dossard n° 51 afin de faire sponsoriser le Tour par le Pastis 51.

Mais le meilleur symbole de la dimension commerciale du Tour reste la « caravane ». Créée en 1930 comme une source de profit destinée à remplacer le sponsoring des marques — pour un temps évincées de la course car accusées d'en tuer le suspense —, la caravane de voitures publicitaires emprunte lors de chaque étape le trajet des coureurs de la ville-départ jusqu'à la ville d'arrivée, expose les logos des marques sponsors et distribue divers objets publicitaires ou échantillons de produits. Parmi les premières marques présentes dans la caravane dans les années 1930 figurent le chocolat Menier, La Vache qui rit, les biscottes Delft ou encore les textiles Noveltex. La caravane fait ainsi du Tour une fête de la consommation — ou, selon ses détracteurs, une « foire publicitaire ringarde » (Edwige Avice, ministre des Sports en 1981-1984) dont les coureurs sont les hommes-sandwichs.

Le Tour et la civilisation des loisirs

L'émergence d'une civilisation des loisirs est due elle aussi à la hausse du niveau de vie moyen des Français, ainsi qu'à la réduction de leur temps de travail. Selon certaines estimations,

Les équipes de marques qui ont gagné le Tour de France

Parmi les marques des équipes qui ont gagné le Tour, on compte tout d'abord, de 1903 à 1929, puis de nouveau à partir de 1962, de nombreuses enseignes de l'industrie du cycle et du pneumatique, dont les publicités ne manquent pas de mentionner les palmarès avantageux. C'est le cas de La Française (qui remporte le Tour en 1903) ; J.C. Conte (1904) ; Peugeot (1905, 1906, 1907, 1908, 1913, 1914, 1922, puis 1975 et 1977) ; Alcyon (1909, 1910, 1911, 1912, 1927, 1928, 1929) ; Automoto (1923, 1924, 1925, 1926) ; Helyett-Saint Raphaël (1962) ; Gitane (1963 et 1964 [associé à Saint Raphaël], 1976, 1978, puis [associé à Renault] 1979, 1981, 1982, 1983 et 1984) ; Motobécane (1973 [associé à Bic]) ; Raleigh (1980) ; et BMC (2011).

De 1930 à 1961, le Tour se court non plus en équipes de marques mais en équipes nationales : de 1930 à 1939 ces équipes utilisent des vélos fournis par l'organisateur et dépourvus de marque puis, de l'après-guerre à 1961, elles utilisent des vélos de marque. Alors qu'à partir des années 1950 la demande de bicyclettes chute (voir graphique 1), les enseignes de l'industrie du cycle s'effacent du sponsoring du Tour au profit de marques « extra-sportives » de secteurs divers de l'industrie et des services. En outre, lorsque, à partir du milieu des années 1950, des extra-sportifs commencent à sponsoriser non plus seulement le Tour lui-même mais des équipes cyclistes tout au long de l'année, la formule du Tour en équipes nationales les prive de courir la course la plus médiatique du calendrier cycliste. Même si les organisateurs du Tour sont initialement très hostiles à la réintroduction des équipes de marques (ils craignent que l'une d'entre elles écrase ou achète la course) et *a fortiori* des équipes de marques extra-sportives (ils craignent que si elles peuvent participer au Tour ces marques n'auront plus de raison de faire leur publicité dans leurs journaux ni de sponsoriser le Tour lui-même), la pression qu'elles exercent aboutit : en 1962, le Tour se court de nouveau en équipes de marques.

Parmi ces extra-sportifs ou « capitaux hors branche » [Calvet, 1981] qui ont gagné le Tour, on compte les producteurs de machines expresso Faema (1969) et Faemino (1970), les équipementiers domestiques Molteni (1971, 1972, 1974), G.S. Salvarani (1965) et Mercatone Uno (1998), le papetier Bic (1973 [associé à Motobécane]), le constructeur automobile Renault (1979, 1981, 1982, 1983, 1984 [associé à Gitane]), le pétrolier Elf (1983 et 1984 [associé à Renault et Gitane]), la société d'alimentation biologique La Vie Claire (1985, 1986), les sociétés de l'habillement Carrera (1987) et Z (1990), la société de métallurgie Reynolds (1988), les banques Banesto (1991, 1992, 1993, 1994, 1995), Caisse d'Épargne-Illes Balears (2006) et CSC Saxo Bank (2008), la société de télécommunication Telekom (1996, 1997), l'U.S. Postal Service (1999-2004), la chaîne télévisée Discovery Channel (2005, 2007), l'opérateur de télévision Sky (2012, 2013) et le conglomérat d'entreprises Astana (2009, 2010). La retransmission télévisée du Tour et d'autres courses cyclistes dans un nombre accru de pays a conduit des sociétés de secteurs et de nationalités de plus en plus variés à investir dans le sponsoring d'équipes cyclistes.

la durée annuelle du travail des actifs occupés aurait baissé aux rythmes annuels moyens de 0,5 % entre 1896 et 1913 puis de 0,8 % entre 1913 et 1938, si bien qu'elle aurait baissé de près d'un quart (de 2 913 à 2 202 heures) entre 1896 et 1938 [Marchand et Thélot, 1997]. Selon d'autres estimations, la durée annuelle du travail des salariés aurait baissé aux rythmes annuels moyens de 0,3 % entre 1870 et 1913 puis de 0,8 % entre 1913 et 1950, si bien qu'elle aurait baissé de plus d'un tiers (de 2 945 à 1 926 heures) entre 1870 et 1950 [Maddison, 2003].

La bicyclette participe du mouvement d'essor des loisirs non seulement en tant que pratique, comme on l'a vu, mais aussi en tant que spectacle. En effet, la course cycliste est un moyen de divertissement. C'est ainsi que sont créés, en 1891, les courses Bordeaux-Paris et Paris-Brest-Paris, à l'initiative respectivement de *Véloce-Sport* et du *Petit Journal*, puis, en 1896, Paris-Tours et Paris-Roubaix, respectivement par *Paris-Vélo* et par les constructeurs du vélodrome de Roubaix. À l'issue de ces courses, les spectateurs profitent de diverses animations : fanfares, concerts, bals, etc. Outre ces courses en ligne, gratuites pour les spectateurs, on compte des courses en circuit fermé, payantes. Au vélodrome, les spectateurs viennent assister à un spectacle principalement extra-sportif : de la vitesse, des chutes et des animations musicales ; ils viennent aussi observer les membres de la haute société qui siègent au centre du vélodrome. Si la presse sportive suscite la création d'épreuves *cyclistes*, plutôt que d'autres disciplines (football, boxe, etc.), c'est sans doute pour la raison suivante : comme le spectacle cycliste a pour caractéristique d'être mobile et donc de ne pas se voir directement (les spectateurs sur le bord des routes n'aperçoivent au mieux qu'une infime fraction de la course), il ne s'apprécie que par le biais du récit de course qu'en font les médias [Calvet, 1981]. En outre, comme les courses cyclistes sont des épreuves relativement longues (plusieurs heures par jour de course), le récit a pour intérêt de fournir un résumé des épisodes les plus marquants de la course.

Dès l'entre-deux-guerres, le spectacle cycliste qui connaît le plus de succès est le Tour de France. Alors que, jusqu'en 1914, les spectateurs sur le bord des routes du Tour ne représentent pas plus de l'équivalent de 2 % de la population française, à partir de la seconde moitié des années 1920 ils en représentent plus de 10 % et, à partir de la seconde moitié des années 1930, plus de 20 % [Viollet, 2003]. Plus mobiles grâce à la hausse de leur niveau de vie et à l'amélioration de la qualité des transports, plus disponibles aussi grâce à l'essor du temps libre (dimanches chômés et congés payés) et attirés par la perspective de voir les champions « en vrai » ainsi que par les cadeaux publicitaires offerts par la caravane, les spectateurs sont jusqu'aux années 1960 de plus en plus nombreux à suivre le Tour au bord des routes. Au milieu des années 1960 — plus précisément, pendant le Tour 1964, qui voit Anquetil et Poulidor livrer l'un des plus beaux combats de l'histoire du Tour —, on estime que ce sont l'équivalent de près de 40 % de la population française qui se pressent sur les routes du Tour [Viollet, 2003].

Le Tour de France accompagne aussi l'émergence d'une civilisation des loisirs par les liens qu'il établit avec d'autres sports et avec les arts. En 1912, le Tour est suivi par Colette, avant de l'être en 1939 par Robert Capa et Henri Troyat, récent lauréat du prix Goncourt (Charreton [2003] propose une revue complète de la présence du Tour dans la littérature française). Parmi les personnalités qui donnent le départ de l'épreuve figurent Joséphine Baker, plusieurs fois dans les années 1930, Marcel Cerdan en 1947 ou encore Orson Welles en 1950. En 1938, les commentateurs de la course sur Radio 37 sont Jean Gabin, Albert Préjean et Georges Carpentier, et de 1954 à 1982 l'auteur qui suit le Tour pour *L'Équipe* n'est autre que le romancier Antoine Blondin [2001]. De même, participent à plusieurs Tours des années 1950 et 1960 les chanteurs Tino Rossi, Charles Trenet, Annie Cordy et Line Renaud, ainsi que l'accordéoniste Yvette Horner sur le véhicule Suze de la caravane du Tour. Des années 1920 aux années 1960, le Tour est aussi représenté sur toutes sortes de produits culturels : non seulement des encarts publicitaires mais aussi des photos de presse, des cartes postales, des biographies et autobiographies de coureurs (dès 1908, après l'arrivée du Tour, Lucien Petit-Breton publie *Comment je cours sur route*), des romans sportifs, des poèmes, des chansons, des films (tel *Vive le Tour*, de

Louis Malle, en 1962 et *Pour un Maillot jaune*, de Claude Lelouch, en 1965), des émissions télévisées, des jeux de société, des jeux vidéo, etc. [Thompson, 2006]. En 1953, sont émis des timbres du cinquantenaire du Tour et en 1958 des cartes postales du Tour illustrées par Kees Van Dongen, Maurice Utrillo et Bernard Buffet. Alors qu'au début du XXe siècle certains commentateurs plaçaient dans le sport des espoirs édifiants — sa pratique devait permettre une régénérescence physique et morale à visée patriotique (la revanche sur l'Allemagne) et le spectacle sportif devait constituer une démonstration de succès par l'effort, la souffrance et le mérite —, la pratique et le spectacle qui se diffusent relèvent du sport-loisir.

C'est à la croisée entre une société de consommation et une société de loisirs émergentes que naît le Tour de France. En effet, le Tour, dont la première édition part en 1903, est créé afin d'accroître les ventes du journal *L'Auto*. Ce quotidien sportif est financé par les industriels du cycle et du pneumatique, qui voient dans la course cycliste un moyen supplémentaire de faire connaître leurs produits, en complément de la réclame qu'ils publient déjà dans le journal. Épreuve sportive à but commercial, le Tour connaît immédiatement un succès tel qu'il permet à *L'Auto* de dominer la concurrence des autres quotidiens sportifs : le nombre d'exemplaires du journal vendus en moyenne par jour passe de 30 000 en 1903 à 120 000 en 1913 et 364 000 en 1933, le nombre de ventes doublant même au mois de juillet, pendant la course (voir graphique 3). Ce fort surcroît de ventes de *L'Auto* en juillet, observé jusque dans les années 1930, est d'autant plus frappant qu'il peut difficilement s'expliquer par d'autres facteurs que le Tour de France. En effet, les taux de départ en vacances en juillet sont alors sensiblement plus faibles et les autres spectacles sportifs (Jeux olympiques d'été, championnats du monde, etc.) moins nombreux qu'aujourd'hui. À son apogée, le 24 juillet 1933, au lendemain de la victoire du Français Georges Speicher sur le Tour, le journal se vend à 833 000 exemplaires [Pariente, 1995].

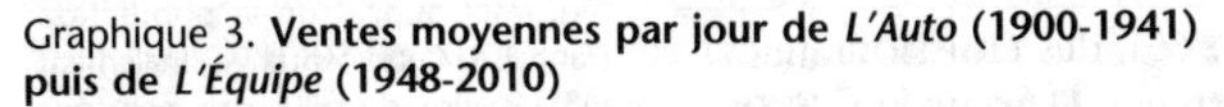

Graphique 3. **Ventes moyennes par jour de *L'Auto* (1900-1941) puis de *L'Équipe* (1948-2010)**

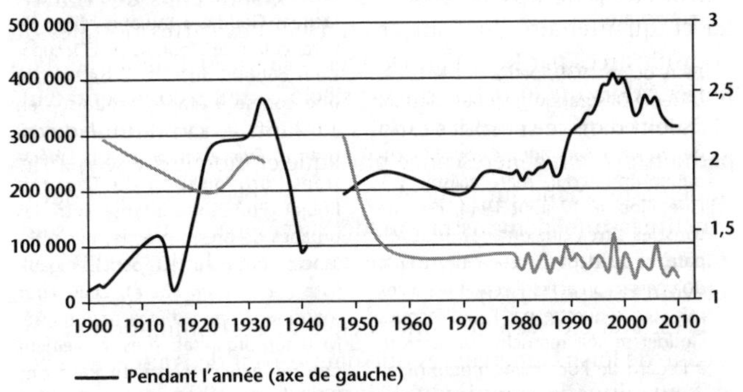

Sources : Pariente [1995, p. 9-13] ; Jeu *et al.* [1992] ; Calvet [1981] ; McKay [2011a] ; OJD (« diffusion payée totale par parution »).

Le Tour et la société de *mass media*

L'histoire du Tour de France témoigne de l'émergence d'une société de *mass media* [Wille, 2003]. Les propriétaires et organisateurs du Tour ont toujours été des entreprises et des hommes de médias. Jusqu'en 1939, le Tour de France est organisé par *L'Auto* : à la tête des deux institutions se trouve le même journaliste, Henri Desgrange [Seray et Lablaine, 2006]. Suite à l'Occupation et à ses contrecoups, à partir de 1947, les organisateurs du Tour sont conjointement *L'Équipe* et *Le Parisien libéré* (voir encadré ci-après). Plus précisément, Jacques Goddet, fils de Victor Goddet, l'ancien associé d'Henri Desgrange, qui est le directeur de *L'Équipe*, le journal qui a succédé à *L'Auto*, est directeur du Tour de 1947 à 1987 [Goddet, 1991]. Félix Lévitan, chef du service des sports du *Parisien libéré*, est directeur adjoint du Tour de 1962 à 1987. Leurs successeurs en tant que directeurs du Tour, Jean-Marie Leblanc (1989-2006) et Christian Prudhomme

L'Auto et le Tour de France pendant la Seconde Guerre mondiale

Alors qu'en 1939, peu avant le décès d'Henri Desgrange, Jacques Goddet devient directeur de *L'Auto* et du Tour de France, *L'Auto* adopte sous l'Occupation un discours maréchaliste. À la Libération, le 17 août 1944, comme tous les titres qui ont continué de paraître pendant l'Occupation, *L'Auto* doit cesser son activité et voit ses biens mis sous séquestre par l'État. Jacques Goddet se voit reprocher sa passivité à l'égard de l'occupant, notamment d'avoir inclus dans la rubrique « Savoir vite » de *L'Auto* des communiqués de propagande allemands, même si *L'Auto* a aussi fait imprimer des tracts, affiches et journaux de la Résistance. En outre, Jacques Goddet est pendant la guerre le propriétaire du Vélodrome d'hiver, construit par son père et Desgrange, et il n'a pas pu éviter qu'y soit organisée la rafle du 16 juillet 1942. En réalité, comme la grande majorité des Français, Jacques Goddet n'a été ni collaborateur ni résistant [Lagrue, 2004, p. 91-92]. Lorsque, le 28 février 1946, *L'Auto* est remplacé par *L'Équipe*, c'est toujours Jacques Goddet qui en est le directeur.

Quant au Tour de France, les nazis ont tenté de le réorganiser afin de se légitimer auprès de la population française. Cette tentative finalement infructueuse, du fait notamment que Jacques Goddet a toujours refusé de faire courir le Tour sous l'Occupation, conduit au Circuit de France, une course à étapes organisée en 1942 par le journal collaborationniste *La France socialiste*. À la Libération, l'organisation du Tour fait l'objet d'une lutte intense entre les organes de presse proches des résistances communiste (*Sports*) et gaulliste (*Le Parisien libéré*), et le Tour manque de peu d'être nationalisé. Mais son organisation est finalement confiée à la Société du Parc des Princes, dirigée par Jacques Goddet, qui le fait organiser non seulement par *L'Équipe* mais aussi par *Le Parisien libéré*, qui se sont engagés à payer 20 millions de francs sur quinze ans pour racheter une course déficitaire. En effet, *Le Parisien libéré* est la propriété d'Émilien Amaury, qui a usé de ses relations dans la mouvance résistante gaulliste et a servi de caution morale et politique afin que l'organisation du Tour ne soit confiée qu'à la Société du Parc des Princes [Demouveaux, 2007]. En 1947, Jacques Goddet est finalement parvenu à conserver la direction de l'épreuve, mais en cédant 50 % de la course à Émilien Amaury.

(2006-), sont eux aussi d'anciens journalistes. Lorsqu'en 1965 le groupe de presse Éditions Philippe Amaury, qui possède déjà *Le Parisien libéré*, rachète *L'Équipe*, il devient l'unique propriétaire du Tour ; c'est toujours le cas aujourd'hui. La société Éditions Philippe Amaury exploite le Tour de 1965 à 1973 par le biais de *L'Équipe* et du *Parisien libéré*, de 1973 à 1993 par le biais de la

Société d'exploitation du Tour de France et à partir de 1993 par le biais de sa filiale Amaury Sport Organisation (A.S.O), dont la Société du Tour de France est l'une des branches [McKay, 2011a].

Comme d'autres courses cyclistes à étapes tels le Giro d'Italia, créé en 1909 par *La Gazzetta dello Sport* [McGann et McGann, 2011, 2012] ou la Vuelta a España, créée en 1935 par *Informaciones* [Unipublic, 2013 ; Fallon et Bell, 2013], le Tour est créé dans le but d'accroître les ventes d'un organe de presse écrite. En outre, le Tour voit son audience croître avec la radio puis la télévision. Dans les deux premières décennies de son existence, le Tour fait l'objet de reportages de presse écrite qui relatent les exploits des champions, illustrés par l'image et la photo. Dans un reportage typique des premiers Tours, lorsque le public est encore fasciné par les performances du moyen de locomotion qu'est la bicyclette, le correspondant de *L'Auto* écrit, le 17 juillet 1905 : « Aucouturier, Maintron et Fourchotte ont mis quatre heures à faire le parcours de Grenoble à Gap (103 km), que l'ancienne diligence attelée de six chevaux plus quatre en renfort dans les côtes, mettait douze heures à parcourir jadis » (cité par A.S.O. et Augendre [2013]). Plus généralement, les journalistes de *L'Auto* rapportent avec emphase la lutte épique des hommes entre eux et contre les éléments naturels.

À partir de l'entre-deux-guerres, *L'Auto* voit son monopole sur le récit du Tour contesté. Le cyclisme est alors le sport le plus populaire : c'est le plus présent en une du *Miroir des sports* à partir de 1925 et cette prédominance ne fait que s'accentuer jusqu'en 1935, date à laquelle environ un tiers des unes du magazine sont consacrées au cyclisme, loin devant le football, l'athlétisme ou le rugby [Geney *et al.*, 2003]. Plus particulièrement, alors que le Tour ne fait la une des hebdomadaires sportifs que rarement jusque vers 1924 (il ne fait la une de l'hebdomadaire sportif *La Vie au grand air* que de zéro à deux fois par an jusqu'en 1918, puis il ne fait la une du *Miroir des sports* que de une à deux fois par an de 1919 à 1924 [Vivier *et al.*, 2003]), il fait la une du *Miroir des sports*, le plus grand hebdomadaire sportif de l'entre-deux-guerres, de sept à quatorze fois par an de 1925 à 1939. C'est là la rançon du succès pour *L'Auto* : certes, le Tour est devenu pour la presse sportive une institution, mais le journal n'est plus le seul à en tirer profit, comme c'était le cas lorsque seul *L'Auto* disposait d'un envoyé spécial sur le Tour. Plus grave, *L'Auto* en vient à être concurrencé dans le récit de la course par le quotidien généraliste *Paris Soir* : comme ce journal paraît en fin d'après-midi, il relate l'étape du jour le soir même, avant *L'Auto*, qui ne paraît que le lendemain matin. C'est pour cela qu'en 1933 les organisateurs du Tour reportent l'horaire d'arrivée des étapes du début à la fin de l'après-midi, mais *Paris Soir* réplique en décalant à son tour son horaire de parution. En conséquence, les ventes de *L'Auto* baissent à partir de la première moitié des années 1930 et le Tour de France ne permet plus au quotidien de doubler ses ventes lors du mois de juillet (voir graphique 3).

À partir de la fin des années 1920, le Tour se suit aussi à la TSF. Il apparaît d'abord dans les journaux radiophoniques puis, à partir de 1930, dans des reportages radio en direct d'étape. Les reporters, tels Jean Antoine et Georges Briquet, n'ont pas de mal à tirer parti des avantages de la radio sur la presse écrite : elle permet non seulement de faire le récit des événements de course le jour même, mais aussi de faire entendre au public d'auditeurs les voix de leurs champions. Le cinéma d'actualités parlant, quant à lui, n'entre pas directement en concurrence avec *L'Auto*, étant donné qu'il ne diffuse les images de la course qu'avec plusieurs jours de retard.

Après la Seconde Guerre mondiale, enfin, le Tour est diffusé à la télévision. Cela n'implique pas qu'il n'ait plus d'incidence sur les ventes de la presse écrite ou sur le contenu des émissions radiophoniques. Par exemple, en 1971, Raymond Poulidor participe pour RTL à une émission dans laquelle il fait le Tour en solitaire en devançant les étapes du peloton. Mais, peu à peu, c'est bel et bien la télévision qui devient le principal vecteur de diffusion du Tour. Certains moments privilégiés de la course sont diffusés en différé, à l'aide de caméras fixes : c'est le cas de l'arrivée du Tour à partir de 1948, puis de divers épisodes lors des journaux télévisés des années 1950. En 1958, le passage de certains cols est pour la première fois diffusé en direct, toujours à l'aide de caméras fixes qui attendent les coureurs en haut des cols, et en 1962 sont introduites les caméras mobiles juchées sur moto. Ainsi, à partir du début des années 1960, grâce à des caméras sans câble (autonomes), plus légères et plus sensibles mais aussi plus nombreuses, la télévision permet peu à peu le direct mobile, notamment le travelling routier et les prises de vue d'hélicoptère, même si les interférences et les décrochages sont encore trop fréquents pour permettre la diffusion en direct de l'intégralité de la course. Lorsque, en 1970, est introduite la retransmission en couleurs, la télévision est parvenue à un stade de développement technologique qui lui permet de mettre en valeur toute la dimension épique de la course : le spectacle se déroule en direct, simultanément pour les coureurs, les commentateurs et les téléspectateurs, ce qui permet de restituer à la course toute son incertitude et donc toute sa charge émotionnelle. En outre, ces progrès technologiques permettent de mettre en valeur la beauté des paysages traversés, ce qui pour certains téléspectateurs constitue, en cette période de massification du tourisme, un intérêt majeur du spectacle du Tour. En filmant les magnifiques paysages de Corse, le Tour 2013 a, dans cette même logique, fourni à l'île une publicité susceptible d'y développer le tourisme.

La hausse de la demande de spectacle télévisé — diffusion à partir des années 1960 de la télévision dans les ménages et hausse de la durée moyenne d'écoute de la télévision —, de pair avec l'essor à partir des années 1980 du nombre d'heures de sport diffusées à la télévision permettent alors au Tour de France d'y prendre une place de choix (voir graphique 4 et encadré ci-après). Alors que, dans les années 1980, la durée du direct sur le Tour augmente notablement (de 55 heures en 1986 à 120 heures en 2003 [Viollet, 2007]) et que, dans les années 1990, apparaissent les incrustations à l'image et la complémentarité entre commentateurs cabine et moto [Wille, 2003], le pouvoir informatif, esthétique et émotionnel des images télévisées atteint un stade qui, depuis lors, ne s'est plus fondamentalement amélioré. Dans les années 2000, le Tour est l'événement sportif dont la durée de retransmission est en France la plus élevée, devant Roland-Garros [Desbordes, 2009]. Selon les estimations de Médiamétrie, plus d'un tiers des Français de 4 ans ou plus regardent chaque année le Tour de

Graphique 4. **Diffusion de la télévision et du sport à la télévision en France (1954-2007)**

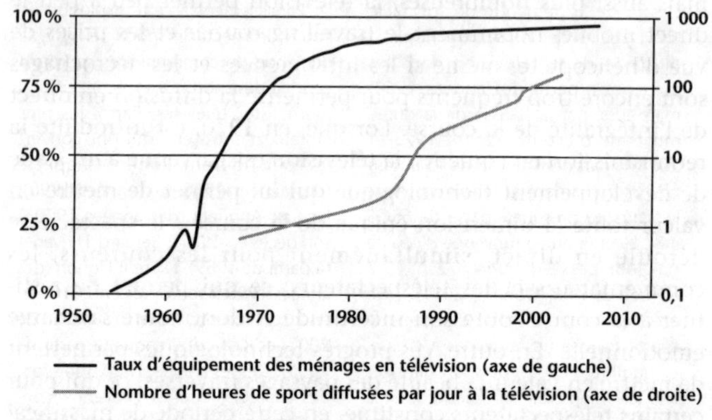

Sources : INSEE [1990, 2010] (taux d'équipement des ménages en téléviseurs (1954-1988) et en téléviseurs couleur (2007)) ; Bolotny et Bourg [2009, p. 116] ; Bourg et Gouguet [2010, p. 11] ; Andreff et Nys [2002, p. 101] (nombre d'heures de sport diffusées, émissions sportives incluses).

France sur France Télévisions pendant au moins une heure. À la même période, le Tour est retransmis dans près de 190 pays. On comprend, dès lors, qu'il n'ait pas de mal à attirer des sponsors.

La progressive émergence de la télévision comme média privilégié de la diffusion du Tour de France modifie en partie le déroulement de la course et sa réception de la part des spectateurs. Concernant le déroulement de la course, l'importance de l'audience télévisée pour les sponsors d'équipes conduit certains coureurs à mener des échappées, parfois appelées « échappées télé », destinées à « montrer le maillot », c'est-à-dire, du point de vue des coureurs, à rémunérer leur employeur en temps de présence sur les écrans. De telles échappées sont désormais plus fréquentes en fin d'après-midi, lors des pics d'audience télévisée. Concernant la réception de la course, plusieurs points sont à noter. Tout d'abord, la hausse de la durée et de la qualité des retransmissions télévisées a vraisemblablement contribué à réduire, à partir de la fin des années 1960, la part des Français

Le Tour à la télévision

L'essor de la demande de spectacle télévisé se révèle non seulement par la diffusion de la télévision dans les ménages à partir des années 1960, mais aussi par la hausse de la durée moyenne d'écoute : entre 1973 et 2008, la part des Français de 15 ans ou plus qui regardent la télévision « tous les jours ou presque » passe de 65 % à 87 % et la durée moyenne d'écoute par jour passe d'environ 2 h 15 à environ 3 h 00 [Donnat, 2011]. Face à cette évolution, l'offre de spectacle sportif télévisé ne tarde pas à croître. Le nombre d'heures de sport diffusées à la télévision croît tout d'abord, de la fin des années 1960 au milieu des années 1980, en raison de la hausse du nombre d'heures diffusées par les chaînes gratuites (de 0,6 heure par jour en 1968 à 2,5 heures en 1984 et 5,1 heures en 1988), mais, à partir de la seconde moitié des années 1980, la quasi-totalité de l'explosion du nombre d'heures de sport diffusées provient des chaînes payantes, dont le nombre augmente lui aussi fortement (de 0,1 heure par jour en 1984 à 10 heures en 1988 et plus de 150 heures au début des années 2000). Ainsi, alors qu'en 1984 les chaînes gratuites diffusent encore 95 % du nombre d'heures de sport à la télévision, dès 1988, elles n'en diffusent plus qu'un tiers, et moins de 2 % au début des années 2000 [Bolotny et Bourg, 2009, p. 116 ; Bourg et Gouguet, 2012, p. 11 ; Andreff et Nys, 2002, p. 101].

Parallèlement à cette explosion de l'offre de spectacle sportif télévisé, la demande de commentaires sportifs a conduit des sportifs à se reconvertir en journalistes télévisés. Parmi les plus fameux d'entre eux qui ont couvert le Tour figurent Robert Chapatte (des années 1950 aux années 1990), Jacques Anquetil (des années 1970 à son décès en 1987), Bernard Thévenet (à partir de 1989), Laurent Fignon (des années 1990 à son décès en 2010) ou encore Laurent Jalabert (à partir de 2002) et Richard Virenque (à partir de 2005). Dès les années 1930, toutefois, des coureurs retraités s'étaient reconvertis en journalistes, tels André Leducq ou Antonin Magne qui commentent le Tour pour *Paris-Soir*, respectivement en 1934 et en 1937.

Si la retransmission télévisée du Tour de France a affecté son déroulement, notons qu'il ne s'agit pas là d'un fait unique. Au tennis, la règle du tie-break a été introduite dans les années 1970 afin d'éviter les parties de durée totalement imprévisible (le tournoi de l'US Open l'a même étendue au cinquième set), et la finale de Wimbledon a été déplacée du samedi au dimanche afin d'accroître son audience. De même, dans plusieurs sports collectifs, la mi-temps a été créée afin de permettre la diffusion de spots publicitaires à des horaires d'audience élevée.

qui prennent la peine de se déplacer pour assister au passage du Tour. Ensuite, en fournissant des images particulièrement réalistes de la course, la télévision a peu à peu démodé les récits de presse écrite et de radio qui, comme les articles de Desgrange ou Blondin, tendaient à mythifier la course (une « épopée ») et les coureurs (des « héros »), au profit de commentaires plus proches des faits observables. Enfin, en rendant les logos de sponsors plus visibles et plus présents encore qu'auparavant, la retransmission télévisée a réactivé chez certains commentateurs les reproches adressés depuis longtemps à la dimension commerciale — et non strictement sportive — de la course. Dès 1963, l'équipe Peugeot abandonne son maillot bleu et jaune pour un maillot blanc à damiers noirs, mieux adapté à la télévision en noir et blanc (elle conserve ce maillot jusqu'à sa fin, en 1986). Nous reviendrons ci-dessous sur l'impact de l'essor de la télévision sur le fonctionnement économique du Tour.

À la croisée entre société de consommation, de loisirs et de médias se trouvent les motifs des deux plus anciens maillots que portent les coureurs du Tour. En effet, le maillot de leader, créé en 1919, est un « maillot jaune » qui tire sa couleur de celle des feuilles de *L'Auto*. De même le maillot rose de leader du Giro d'Italia, créé en 1931, tire sa couleur de celle des feuilles de *La Gazzetta dello sport*. Et le challenge de meilleur grimpeur, créé en 1933, devient en 1975 « maillot à pois », en référence aux couleurs du chocolat Poulain, qui le sponsorisait. Mais si le Tour de France est révélateur de l'avènement d'une culture de masse, il a aussi une histoire propre, dont la caractéristique la plus saillante est qu'elle est l'histoire d'un spectacle sportif à visée commerciale.

II / L'argent du Tour de France

Si le Tour de France est un événement à visée commerciale pour ses organisateurs, il a aussi un but lucratif pour les coureurs. Quelle a été, de ce double point de vue, l'histoire économique du Tour ? Et quel est son poids économique actuel, par rapport à d'autres spectacles sportifs comme le football en France ou les Jeux olympiques dans le monde ?

Le chiffre d'affaires du Tour

Nous ne savons presque rien de l'histoire des profits du Tour de France. Certains auteurs indiquent que le Tour est déficitaire en 1939 (environ 600 000 F de pertes annuelles pour un chiffre d'affaires d'environ 2 000 000 F) ainsi que pendant les années 1940 et 1950, puis pendant les années 1960 et la première moitié des années 1970 (environ 200 000 F de pertes annuelles pour un chiffre d'affaires d'environ 4 000 000 F) [Viollet, 2007 ; Reed, 2003]. Ainsi, selon ces sources, corroborées par les déclarations du directeur adjoint du Tour Félix Lévitan, le Tour ne commencerait à devenir en lui-même profitable qu'à partir de la seconde moitié des années 1970 (environ 1 500 000 F de bénéfices annuels pour un chiffre d'affaires d'environ 10 000 000 F). Dans les années 2000, les profits d'A.S.O. représentent environ 20 % de ses recettes [McKay, 2011a]. Mais, n'en sachant pas plus, nous restons prudents quant à ces assertions.

Graphique 5. **Droits de retransmission télévisée et chiffre d'affaires du Tour de France (en euros 2008) (1950-2010)**

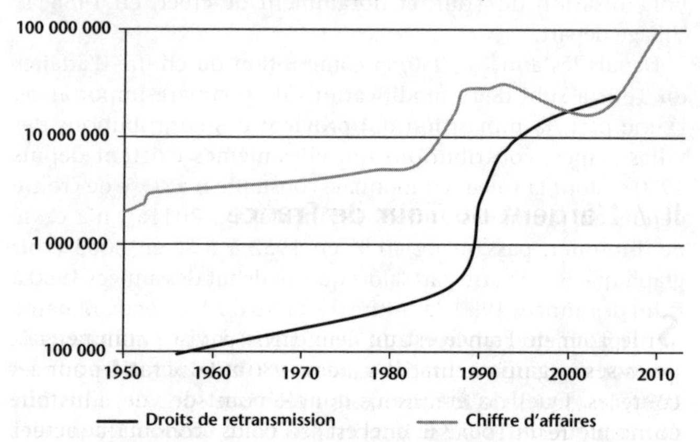

Note : chiffre d'affaires du Tour de France et des courses associées.

Sources : Viollet [2007] ; Reed [2003] ; Boury [1997] ; Andreff et Nys [2002] ; Marchetti [2003].

La société organisatrice du Tour de France ne publiant pas ses comptes, il n'est pas possible de présenter des séries du volume ou de la composition du chiffre d'affaires du Tour depuis 1903. En conséquence, nous nous reposons sur les estimations de ces grandeurs que divers auteurs ont proposées depuis les années 1950. Il apparaît que le chiffre d'affaires du Tour, qui avait déjà augmenté à un rythme élevé à partir des années 1950, a subitement explosé à partir des années 1980 : entre le début des années 1980 et la fin des années 1990, il est passé d'environ 5 millions à environ 50 millions d'euros 2008 (voir graphique 5). Un tiers de cette hausse est directement dû à l'explosion des droits de retransmission télévisée : du début des années 1980 à la fin des années 1990, ils sont passés d'environ 250 000 euros à environ 16 millions d'euros 2008. Retenons donc que, pendant les années 1980 et 1990, le chiffre d'affaires du Tour a été multiplié par environ dix et les droits de retransmission télévisée par environ soixante-cinq. C'est d'ailleurs cette explosion qui a permis de professionnaliser l'organisation du Tour, et notamment de créer, en 1988, le Village départ.

Depuis les années 1950, la composition du chiffre d'affaires du Tour a subi deux modifications de première importance. D'une part, la proportion qui provient des contributions des villes-étapes, contributions qui elles-mêmes existent depuis 1930 et dont la valeur en monnaie constante n'a cessé de croître depuis au moins les années 1970 [McKay, 2011a], n'a cessé de diminuer, passant de 40 % en 1952 à 5 % en 2003 (voir graphique 6). D'autre part, alors que du début des années 1950 à la fin des années 1980, le chiffre d'affaires du Tour était alimenté principalement (environ aux deux tiers) par la publicité et le sponsoring, depuis la fin des années 1980 et le début des années 1990, les droits de retransmission télévisée sont devenus une source de recettes aussi importante voire, depuis les années 2000, plus importante que la publicité et le sponsoring (voir graphique 6). À la fin des années 1980 et au début des années 1990, le directeur du Tour, Jean-Marie Leblanc, accompagne la hausse des recettes publicitaires du Tour d'une réduction du nombre de sponsors : ces derniers passent d'une dizaine, ce qui verrouille la course et rallonge d'autant les cérémonies protocolaires de remise des divers prix et maillots à la fin de chaque étape, à quatre principaux. Parmi ces sponsors, l'un des plus fidèles depuis les années 1980 est le Crédit lyonnais, devenu en 2006 LCL, qui sponsorise le maillot jaune.

Cette forte croissance récente est d'autant plus notable que l'augmentation du nombre de téléspectateurs en France et à l'étranger tend à accroître *à la fois* les droits de retransmission du Tour, c'est-à-dire le prix que les diffuseurs sont prêts à payer pour retransmettre la course, et les recettes issues de la publicité et du sponsoring, c'est-à-dire le prix que les annonceurs sont prêts à payer pour sponsoriser la course ou y faire la publicité de leurs marques. Autrement dit, la forte croissance de la proportion du chiffre d'affaires du Tour liée aux droits de retransmission télévisée ne peut s'expliquer que par une hausse des droits

Graphique 6. **Composition du chiffre d'affaires du Tour de France (1952-2012)**

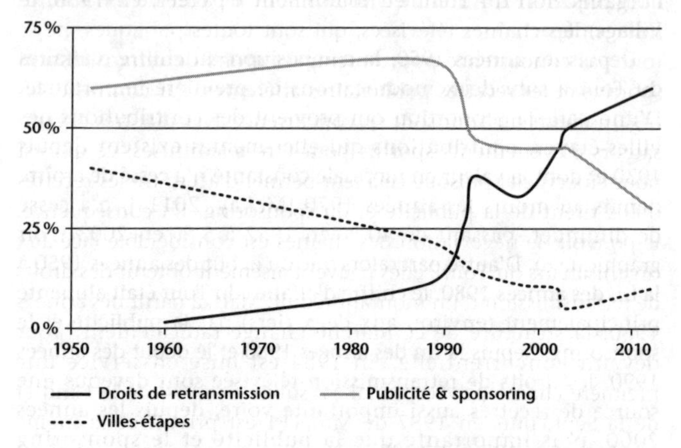

Sources : Reed [2003] ; Boury [1997] ; Viollet [2007] ; Andreff et Nys [2002] ; Marchetti [2003] ; McKay [2011a] ; *Les Échos* [2012].

de retransmission qui est suffisamment supérieure à celle des recettes publicitaires et de sponsoring pour compenser la tendance de ces deux grandeurs à varier de concert.

L'explosion des droits de retransmission télévisée du Tour de France à la fin des années 1980 et au début des années 1990 s'explique principalement par la modification de la structure du marché des droits de retransmission sportive [Bourg et Gouguet, 2010 ; Andreff et Nys, 2002]. Sur ce marché se confrontent d'une part des organisateurs d'événements sportifs (Amaury Sport Organisation et des fédérations, ligues et clubs de sports divers), qui « offrent » les droits de retransmission, d'autre part des chaînes de télévision, qui « demandent » de tels droits. Or, jusqu'en 1984, ce marché des droits de retransmission sportive a une structure de monopsone. Quel que soit le régime auquel elles sont soumises (la Radiodiffusion et télévision française de 1949 à 1964, avec une chaîne puis deux à partir de 1964 ;

l'Office de la radio et de la télévision française de 1964 à 1974, avec deux chaînes puis trois à partir de 1972 ; puis le régime dans lequel TF1, Antenne 2 et FR3 sont à partir de 1974 autonomes), les chaînes télévisées, qui sont toutes publiques, ne se font pas concurrence pour obtenir les droits de retransmission sportive et les recettes publicitaires afférentes. Par contraste, les organisateurs du Tour sont en concurrence avec d'autres organisateurs d'événements sportifs pour être télédiffusés, ce qui est pour eux crucial puisque cela leur permet d'accroître les recettes qu'ils tirent de la publicité et du sponsoring. En conséquence, le pouvoir de négociation des chaînes est considérable face aux organisateurs du Tour : elles peuvent aisément obtenir des droits de retransmission d'un montant réduit. Mais, à partir des années 1980, la structure de ce marché change radicalement, pour devenir concurrentielle. En 1984 est mise en service une première chaîne privée (Canal +), suivie en 1986 de la Cinq et de la Sept, puis en 1987 de M6. TF1 est privatisée la même année, et en 1988 et 1989 sont mises en service des chaînes câblées spécifiquement dédiées au sport (TV Sport et Eurosport). Ainsi les chaînes, même publiques, perdent leur pouvoir de négociation face aux organisateurs du Tour : pour obtenir les droits de retransmission et l'audience et les recettes publicitaires afférentes, elles doivent gagner le processus d'enchères par lequel sont attribués ces droits.

Les primes des coureurs

L'évolution du chiffre d'affaires du Tour n'est pas restée sans conséquences sur le montant des prix et récompenses accordés aux coureurs. Pour les organisateurs du Tour, il s'agit — dans la limite des possibilités fixées par leur budget — d'offrir des primes suffisamment élevées pour continuer à attirer les meilleurs coureurs ainsi que pour les motiver, une fois présents sur la course, à se battre pour la victoire.

De 1903 à 2010, dernière année pour laquelle nous disposons pour la France des salaires nets moyens tous salariés confondus,

Critique des sources : les données statistiques d'A.S.O.

Les données statistiques rendues publiques sur son site Internet (</www.letour.fr/>) par la société organisatrice du Tour de France (Amaury Sport Organisation) sont relativement riches puisqu'elles concernent, pour chaque édition du Tour de 1903 à 2013, le nombre et les nationalités des coureurs engagés et classés, le nombre de jours de course et de jours de repos, la distance du parcours, les sommets franchis, la vitesse moyenne du vainqueur, l'identité du porteur de chaque maillot lors de chaque étape et les primes des coureurs. Comme la définition de chacune de ces variables semble relativement dépourvue d'ambiguïté, ces données sont vraisemblablement fiables. C'est pourquoi nous les utilisons. Cela dit, on peut espérer qu'à l'avenir soient publiées des données supplémentaires. D'une part, on aimerait pouvoir accéder à des données qui ne sont pas publiées par A.S.O., sur le chiffre d'affaires et les profits du Tour de France depuis sa création. D'autre part, on souhaiterait que certaines données publiées le soient avec une précision plus grande : que certaines données soient aussi publiées par *étape* de chaque édition du Tour (distance du parcours, vitesse du vainqueur, etc.), et que d'autres données publiées le soient de façon exhaustive (par exemple, non seulement les primes du vainqueur du Tour et la dotation totale, mais aussi les primes de chacune des autres places au classement général, des autres classements, des victoires d'étape, etc.). Ces données permettraient d'affiner les analyses ici présentées, et d'entreprendre des recherches supplémentaires.

la prime moyenne par coureur engagé dans le Tour a presque toujours dépassé le salaire mensuel net moyen des salariés français (voir graphique 7). Entre ces dates, les salaires mensuels nets moyens ont été multipliés par 5,7 (passant de 358 à 2 049 euros 2008), la prime moyenne par coureur engagé dans le Tour a été multipliée par près de 13 (passant de 1 231 à 16 615 euros 2008) et la prime au vainqueur a été multipliée par près de 40 (passant de 11 082 à 433 800 euros 2008). Alors que les salaires nets moyens ont progressé surtout à partir des années 1950, la prime moyenne par coureur engagé dans le Tour a connu plusieurs variations importantes : après avoir baissé jusqu'à la fin des années 1920, elle a crû subitement au début des années 1930, à la suite de l'introduction de la caravane et du financement de divers prix par des sponsors ; puis, après avoir légèrement baissé des années 1950 au milieu des années 1980, elle a crû de façon progressive à partir des années 1980, après

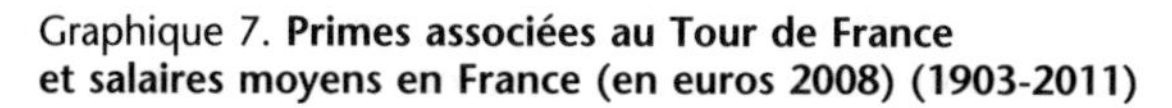
Graphique 7. **Primes associées au Tour de France et salaires moyens en France (en euros 2008) (1903-2011)**

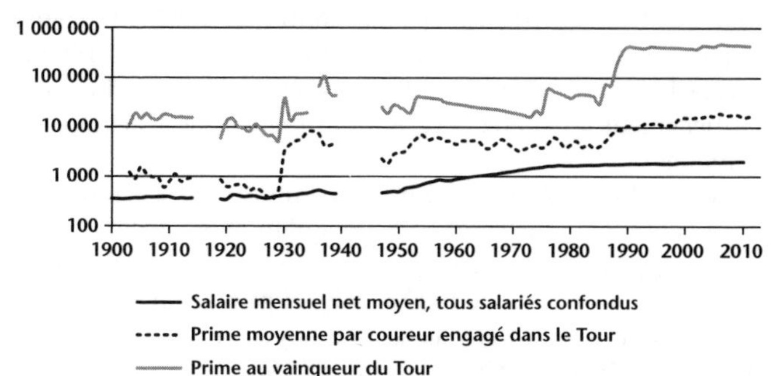

Sources : A.S.O. et Augendre [2013] (primes en monnaie courante) ; Piketty [2001, p. 684-685 et p. 690-691] (1900-1998) ; INSEE, exploitation exhaustive des DADS (déclarations annuelles de données sociales, 1999-2008) (salaire mensuel net moyen) ; INSEE (convertisseur de monnaie courante en euros 2008).

l'explosion du chiffre d'affaires du Tour. La prime au vainqueur a, quant à elle, connu des évolutions similaires, à ceci près qu'à partir du milieu des années 1980 elle a crû très fortement, avant de stagner depuis les années 1990.

Les années 1980 marquent donc une claire rupture pour les gains des coureurs, sans doute en raison de l'explosion du chiffre d'affaires du Tour, elle-même en partie due à l'explosion des droits de retransmission télévisée de l'épreuve (voir graphique 5). Alors que les téléspectateurs de pays du monde de plus en plus nombreux deviennent demandeurs d'un spectacle cycliste où peuvent triompher leurs champions nationaux (c'est à partir des années 1980 que la part des coureurs qui ne sont pas d'Europe occidentale s'accroît — voir graphique 12), non seulement le Tour de France engrange des droits de télévision accrus, mais en outre ces retransmissions télévisées accroissent le prix que les sponsors et publicitaires sont prêts à payer pour exposer leurs marques aux yeux du monde entier. Comme il en va de même pour les autres courses cyclistes avec lesquelles le Tour est en concurrence pour attirer les champions les plus demandés, chacune de ces courses est prête à payer de plus en plus cher les coureurs en général et les tout meilleurs en particulier pour continuer à offrir la course la plus spectaculaire. C'est ainsi qu'à partir des années 1980 le spectacle cycliste, en se mondialisant, en vient à enrichir substantiellement les coureurs et, en tout premier lieu, l'équipe du vainqueur.

Le graphique 7 étant semi-logarithmique, il « écrase » les écarts entre les trois courbes. Alors qu'un coureur du Tour de France gagnait en primes environ un à deux mois du salaire moyen jusqu'en 1929, de 1930 à 1939, ce gain augmente jusqu'à environ huit à seize mois du salaire moyen, avant de retomber des années 1950 au début des années 1980 à deux à six mois du salaire moyen (voir graphique 8). C'est à partir du début des années 1980 que les gains des coureurs s'élèvent de nouveau par rapport à ceux des salariés : le coureur moyen, qui en 1980 gagnait en primes 2,6 mois du salaire moyen, gagne en 2000 près de huit mois de ce salaire. Pour ce qui concerne les gains du vainqueur du Tour par rapport au coureur moyen, ils ont plutôt eu tendance à baisser jusqu'aux années 1970 : alors que jusqu'aux années 1930 le vainqueur gagnait de dix à trente fois plus qu'un coureur moyen, au début des années 1970 le vainqueur ne gagne plus que quatre fois plus. Mais, après une première hausse entre la seconde moitié des années 1970 et la première moitié des années 1980, le gain du vainqueur augmente de façon considérable relativement au gain moyen : le vainqueur du Tour, qui en 1980 gagne « seulement » huit fois plus qu'un coureur moyen, gagne en 2000 vingt-cinq fois plus que lui.

Retenons que, au cours des années 1980 et 1990, les primes associées au Tour ont été multipliées en monnaie constante par environ 3,5 pour le coureur moyen et dix pour le vainqueur. Mais pourquoi dans les années 1980 les organisateurs du Tour accroissent-ils les primes des coureurs, et particulièrement celles du vainqueur ? Lorsque les salaires fixes des coureurs augmentent (voir encadré ci-après), la prime supplémentaire qui est nécessaire pour les motiver à participer et à se battre est de plus

Graphique 8. **Primes associées au Tour de France (1903-2011)**

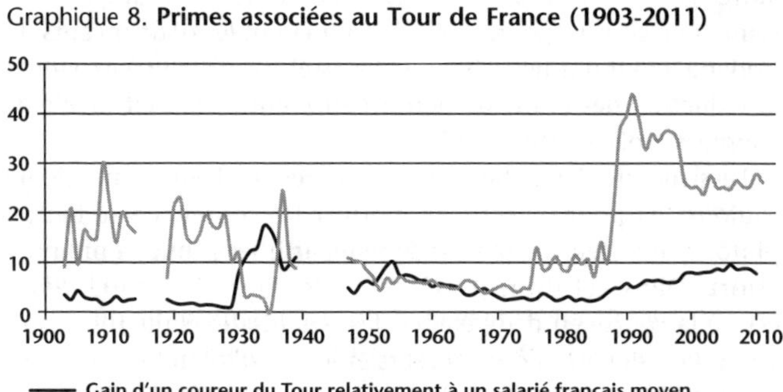

Sources : A.S.O. et Augendre [2013] (primes en monnaie courante) ; Piketty [2001, p. 684-685 et p. 690-691] (1900-1998) ; INSEE, exploitation exhaustive des DADS (1999-2008) (salaire mensuel net moyen) ; INSEE (convertisseur de monnaie courante en euros 2008).

en plus élevée, en raison du caractère décroissant de l'utilité marginale du revenu pour les coureurs. Cela est d'autant plus vrai qu'au sein des équipes toutes les primes des coureurs sont redistribuées à égalité entre eux, si bien qu'en l'absence de primes élevées chaque coureur peut être tenté de laisser ses coéquipiers se dépenser pour l'équipe.

Par ailleurs, la théorie des tournois — soit la partie de la théorie des jeux qui analyse les compétitions dans lesquelles les joueurs sont récompensés non pas à mesure de leur productivité marginale *absolue* mais *relative*, c'est-à-dire de leur rang de productivité parmi les joueurs — montre que l'incitation qu'ont les participants à un événement sportif à dépenser toute leur énergie pour vaincre dépend crucialement des *écarts* de dotations entre la première place et la deuxième, entre la deuxième et la troisième, etc. [Tullock, 1980]. En d'autres termes, ce serait pour continuer à motiver les équipes de coureurs à se battre pour la victoire de leur leader d'équipe — ce qui conditionne l'intérêt sportif, le spectacle du Tour — que les organisateurs auraient accru les gains du vainqueur beaucoup plus fortement que les autres gains. Cet essor des écarts de dotations d'un rang de classement au suivant pourrait aussi, en incitant les poursuivants du leader à « tout donner » pour le dépasser, contribuer à expliquer la réduction des écarts de performance entre les tout meilleurs coureurs (voir graphique 19).

La structure des dotations monétaires du Tour a sans doute toujours eu pour objectif de motiver les coureurs à se battre, plutôt que de leur permettre de se répartir les primes à moindre effort. Dans cet esprit, en 1952, alors que Fausto Coppi a écrasé la course en deux étapes, les organisateurs du Tour, craignant la résignation des coureurs et le peu d'intérêt de la course qui s'en serait ensuivie, doublent les primes pour les places de deuxième et troisième et assurent ainsi un spectacle sinon pour la première place, du moins pour les suivantes. De façon plus inattendue, pour motiver les coureurs à se battre, certains organisateurs de courses ont parfois évincé des coureurs : alors qu'en 1929 Alfredo Binda a gagné le Giro d'Italia pour la quatrième fois, les organisateurs du Giro lui versent en 1930 une somme équivalente au premier prix afin qu'il ne participe pas à la course !

Comparaisons avec le football français et les Jeux olympiques

La hausse depuis les années 1980 du chiffre d'affaires du Tour de France et des gains des coureurs, et particulièrement des gains les plus élevés, est-elle spécifique au cyclisme ou observée dans d'autres sports ? Rappelons que, du début des années 1980 à la fin des années 1990, le chiffre d'affaires du Tour est multiplié par environ dix, et les droits de retransmission télévisée par environ soixante-cinq (voir graphique 5). Sur la même période, en France, le chiffre d'affaires des clubs professionnels de football est multiplié par environ vingt, et les droits de retransmission télévisée des matchs de football sont multipliés par environ trois cents (voir graphique 9). L'explosion du chiffre d'affaires du Tour de France, elle-même due en partie à l'explosion des

Pourquoi les salaires des meilleurs coureurs cyclistes ont-ils explosé ?

L'explication proposée ci-dessus de la hausse de la prime du vainqueur relativement aux autres coureurs du Tour doit être soigneusement distinguée de l'explication usuelle de la hausse du salaire — fixe, annuel — proposé par les sponsors d'équipes aux tout meilleurs coureurs relativement aux autres coureurs. Le niveau et l'évolution des salaires des tout meilleurs coureurs cyclistes s'expliquent fondamentalement par leur productivité marginale en termes d'exposition médiatique : comme d'une part le fait de sponsoriser le meilleur coureur du monde permet de remporter les courses les plus regardées et de rafler toute la publicité afférente, et que d'autre part le nombre et le revenu des spectateurs du Tour augmentent en France comme à l'étranger, les sponsors sont prêts à payer de plus en plus cher pour s'offrir les services du petit nombre de coureurs qui garantissent cette exposition médiatique croissante. En d'autres termes, le fait d'être le meilleur coureur du monde, même si c'est de très peu (quelques secondes de moins que les poursuivants sur une centaine d'heures de course), assure aujourd'hui un tel surcroît d'exposition médiatique que les sponsors sont prêts à payer considérablement plus cher les meilleurs coureurs du monde que des coureurs à peine moins performants. C'est ce qu'on appelle le mécanisme du *winner-take-all*, ou « économie des superstars » [Rosen, 1981]. De même, le niveau et l'évolution des contrats que les coureurs cyclistes peuvent négocier avec les critériums d'après-Tour [McKay, 2011b] et éventuellement avec diverses marques s'expliquent fondamentalement par leur productivité marginale en termes d'exposition médiatique.

droits de retransmission télévisée, s'observe donc également dans le football, mais à un degré encore beaucoup plus prononcé. Dans ce sport plus encore que dans le cyclisme, la mise en concurrence des chaînes de télévision a accru les montants qu'elles sont prêtes à débourser pour retransmettre les spectacles sportifs garants des audiences maximales, et ces audiences accroissent à leur tour les montants que divers sponsors sont prêts à débourser pour associer leur image de marque à des sportifs de haut niveau. En effet, par rapport au cyclisme, le football est un sport idéal pour la retransmission télévisée, puisqu'il se déroule au sein d'un stade et que chaque match a une durée connue d'avance. En outre, les matchs de football ont pour particularité que leur issue est fortement incertaine, ce qui entretient le suspense. Ainsi, entre 1970 et 2002, alors que dans le chiffre d'affaires des clubs professionnels

Graphique 9. **Droits de retransmission télévisée des matchs de football et chiffre d'affaires des clubs professionnels de football en France (en euros 2008) (1970-2002)**

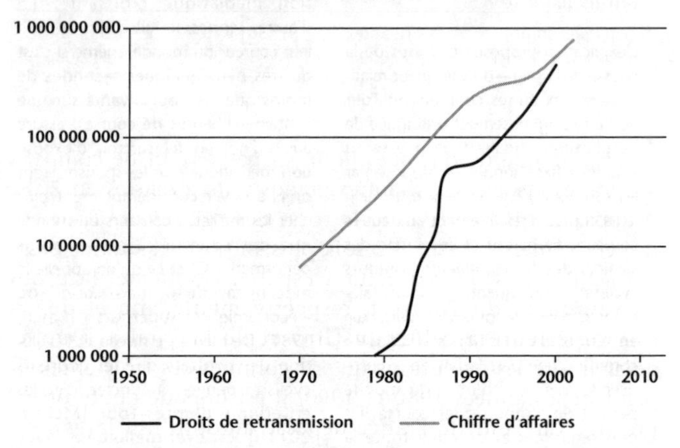

Champ : les matchs de football sont ceux de toutes les compétitions sportives (championnat de France, coupes d'Europe et de France, matchs internationaux, etc.) ; les clubs professionnels sont ceux de D1 puis L1.

Sources : Andreff et Nys [2002, p. 105] (droits de retransmission) ; Bourg et Gouguet [2005, p. 20] ; Bolotny [2009, p. 499] (chiffre d'affaires).

de football la part des billets d'entrée passait de 81 % à 15 %, la part de la publicité et du sponsoring passait de 0 % à 20 % et la part des droits de retransmission télévisée de 1 % à 52 %. En outre, il convient de garder en tête que, si le chiffre d'affaires du Tour a effectivement explosé pendant les années 1980 et 1990, il a explosé deux fois moins vite et reste environ dix fois moins élevé que le chiffre d'affaires des clubs professionnels de football en France. Bref, le Tour n'a pas profité autant que les clubs de football français de la considérable hausse du volume d'investissements dans le sport qui a caractérisé les années 1980 et 1990.

L'explosion du chiffre d'affaires du Tour depuis les années 1980 est-elle spécifique à la France ? Nous l'ignorons, puisqu'on

Tableau 1. **Primes associées aux grands Tours cyclistes en 2011**
(en euros courants)

	Tour de France	Giro d'Italia	Vuelta a España
Total des primes	3 412 546	1 381 010	1 057 480
Prime au vainqueur	450 000	90 000	112 000

ne dispose que de quelques données permettant de comparer les primes associées aux autres grands tours cyclistes en 2011. Il apparaît qu'à cette date le total des primes du Tour est, respectivement, 2,4 et 3,2 fois plus important que ceux du Giro d'Italia et de la Vuelta a España. De même, la prime au vainqueur du Tour est, respectivement, cinq et quatre fois supérieure à celles du Giro et de la Vuelta. Quelles qu'aient été les évolutions qu'ont connues ces trois épreuves pendant les années 1980 et 1990, il est hors de doute que le prestige du Tour de France dépasse aujourd'hui largement celui des deux autres grands Tours européens, non seulement par le poids de son histoire mais aussi par l'attractivité de ses primes. Peu avant le départ du Tour 2011, 49 % des adultes en France déclarent aimer le Tour de France, contre 47 % en Italie et en Espagne, 35 % au Royaume-Uni et 28 % en Allemagne [Pratviel et Chevalier, 2012].

Nous ignorons le rythme de hausse du chiffre d'affaires des Jeux olympiques d'été dans le monde du début des années 1980 à la fin des années 1990 (les données sont lacunaires), mais sur cette période les droits de retransmission télévisée des Jeux sont multipliés par dix (voir graphique 10). L'explosion des droits de retransmission télévisée du Tour de France s'observe donc encore dans les Jeux olympiques au niveau mondial, mais à un degré beaucoup moins prononcé. On peut voir à cela au moins deux séries de raisons. D'une part, dans la mesure où c'est la libéralisation du marché de la télévision dans les années 1980 qui en France a enclenché l'explosion des droits de retransmission télévisée du Tour, le fait qu'elle a eu lieu plus tôt, plus tard ou pas du tout dans les autres pays occidentaux n'a pas conduit, sur la même période, à une explosion aussi forte des droits de

Graphique 10. **Droits de retransmission télévisée et chiffre d'affaires des Jeux olympiques d'été dans le monde (en euros 2008) (1964-2000)**

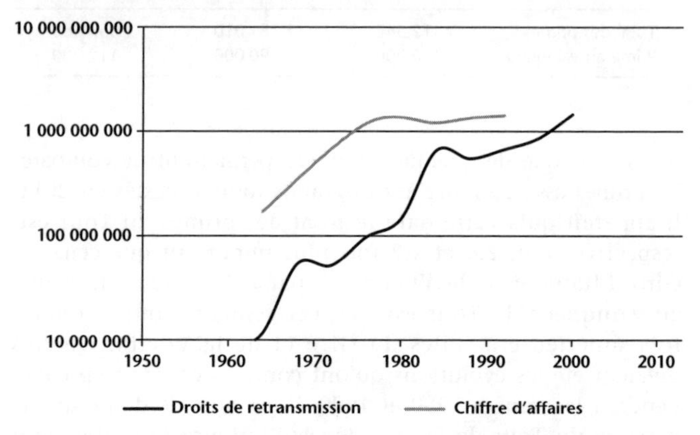

Sources : Andreff et Nys [2002, p. 21-22, p. 105] (droits de retransmission) ; Andreff et Nys [2002, p. 113] (chiffre d'affaires).

retransmission télévisée des Jeux olympiques. De même, en Angleterre, si les retransmissions télévisées du championnat de football en direct ont commencé dès 1983, les droits de retransmission télévisée n'ont explosé qu'en 1992, lorsque BSkyB est entrée en concurrence avec la BBC pour les retransmettre [Sandy *et al.*, 2004]. D'autre part, dans la mesure — plus fondamentale — où c'est l'intérêt qu'ont des sponsors à utiliser le sport comme support publicitaire qui a fait exploser les droits de retransmission télévisée du Tour, le fait que la plupart des habitants de la planète soient sensiblement moins riches que les Français, et que faire de la publicité a donc pour les annonceurs moins de valeur, réduit le rythme global de hausse des droits de retransmission télévisée des Jeux olympiques. Autrement dit, le chiffre d'affaires des spectacles sportifs ne peut croître de façon considérable que dans les pays suffisamment riches pour que leurs habitants regardent la télévision et soient prêts à acheter les produits dont les annonceurs font la publicité. Notons toutefois que les droits de retransmission télévisée des Jeux olympiques d'été dans le monde sont supérieurs aux droits de retransmission télévisée du Tour de France de près d'un facteur 100. Par rapport aux graphiques 5 et 9, le graphique 10 comporte une échelle logarithmique décalée d'un facteur respectivement 100 et 10.

III / L'organisation du Tour de France

Le Tour de France étant un événement sportif à visée commerciale, ses dirigeants ont mis en place et modifié son organisation pour sans cesse améliorer son intérêt sportif et sa rentabilité. Comment ont-ils procédé ? Comment ces décisions ont-elles transformé l'épreuve ? De 1903 à nos jours, le Tour de France cycliste a eu lieu tous les ans sauf en période de guerre : de 1915 à 1918, période pendant laquelle Henri Desgrange est engagé volontaire et trois vainqueurs de l'épreuve sont tués (François Faber, Octave Lapize et Lucien Petit-Breton), puis de 1940 à 1946. À la Libération et jusqu'en 1946 inclus, il apparaît impossible de réorganiser le Tour, car les journaux sportifs sont contingentés en papier, si bien qu'ils n'ont pas intérêt à assumer les coûts d'organisation de la course, particulièrement élevés du fait du rationnement des denrées alimentaires et de l'essence. En outre, les routes sont encore endommagées par la guerre, si bien que l'épreuve pourrait être dangereuse pour les coureurs.

Lorsqu'elle a effectivement lieu, la course commence entre fin juin et début juillet, la date la plus précoce étant le 17 juin, date de départ du Tour 1928, avancée en raison des Jeux olympiques de la même année, la plus tardive étant le 13 juillet, date de départ des Tours 1908 et 1950. Le Tour dure environ trois semaines : d'un minimum de dix-neuf jours en 1903 à un maximum de trente jours en 1912, l'amplitude variant depuis 1947 de vingt et un à vingt-six jours. Cette amplitude du Tour doit être distinguée du nombre de jours de course puisque, lors des premières éditions de l'épreuve, chaque jour de course était suivi d'au moins un à deux jours de repos. En outre, il convient de distinguer le nombre de jours de course du nombre d'étapes, puisqu'il est d'usage de ne pas considérer le « prologue », introduit en 1967, comme une étape et qu'à certaines époques, tout particulièrement pendant les années 1970, certains jours de course voyaient se dérouler plusieurs étapes, dites étapes « fractionnées ».

Le Tour de France a donc lieu typiquement en juillet, moment de relative disponibilité des spectateurs et d'absence de football ou de rugby. En outre, son arrivée a lieu le plus souvent le dimanche, avec plusieurs exceptions en 1912 (lundi), 1950 (lundi), 1952 (samedi), 1955-1959 (samedi), 1964 (mardi), 1965 (mercredi), 1966 (jeudi) et 1980 (lundi). Le dimanche est le jour de la semaine qui permet de rassembler un maximum de spectateurs sur le bord des routes et à l'arrivée, ainsi qu'un maximum d'auditeurs et de téléspectateurs en direct. Par rapport au samedi, l'arrivée le dimanche a aussi pour avantage de permettre à *L'Auto* puis à *L'Équipe* de paraître dès le lendemain. Plus généralement, une analyse a montré que, au moins sur le cas de la Belgique néerlandophone étudié sur la période 1997-2012, le fait que l'étape se déroule un jour disponible pour les téléspectateurs (jour de week-end ou jour de fête nationale belge ou flamande) et qu'il n'y ait pas de programme alternatif attractif (Wimbledon) accroît l'audience des retransmissions télévisée du Tour [Van Reeth, 2013]. C'est pourquoi, dans la mesure du possible, les organisateurs du Tour placent les étapes de montagne le week-end et les jours de repos des coureurs le lundi.

Le règlement

Dans ce cadre, le Tour de France a connu plusieurs types de règlement [Chany et Cazeneuve, 2003]. Il a d'abord évolué selon qu'au moins certains coureurs pouvaient ou non faire partie d'une équipe. De ce point de vue, il a été initialement une course strictement individuelle : de 1903 à 1909 puis de 1919 à 1924, les équipes et l'entraide entre coureurs sont interdites ; puis c'est devenu une course individuelle *et* en équipes : de 1910 à 1914 et de 1925 à 1937, les coureurs sans équipe, pour la plupart des amateurs qui courent, s'équipent, se logent et se nourrissent à leurs frais, sont appelés « touristes-routiers » puis à partir des années 1930 « coureurs isolés » ou « individuels » ; puis, à partir de 1938, une course strictement en équipes : plus aucun coureur ne court en individuel, si bien que, à proprement parler, le Tour n'invite plus de coureurs mais seulement des équipes. Depuis que le Tour n'est plus une course strictement individuelle, son règlement a aussi évolué quant au type d'équipes auxquelles il permet de concourir : des équipes de marques jusqu'en 1929, des équipes nationales de 1930 à 1938, des équipes nationales et régionales de 1939 à 1961, et de nouveau des équipes de marques depuis 1962 (sauf en 1967 et 1968, où les équipes nationales sont temporairement ressuscitées). Le classement du Tour, enfin, a toujours été « au temps », sauf de 1905 à 1912, où il s'effectuait par points.

Pourquoi les organisateurs ont-ils initialement abandonné le classement au temps en faveur du classement par points ? Le système par points, qui consiste pour les coureurs à gagner des points selon leur rang d'arrivée à chaque étape (le coureur qui a accumulé le moins de points étant déclaré vainqueur), comportait un double avantage. D'une part, alors que la course n'était que mal contrôlée par les organisateurs, qui ne pouvaient suivre tous les coureurs à la fois, ce système permettait de réduire l'avantage que conféraient les gains de temps engrangés par certains coureurs en violation du règlement, à la suite de ravitaillements ou de changements de bicyclette interdits, voire, comme de 1904 à 1906, à la suite d'étapes de nuit effectuées en partie en train ou abrité, voire tiré par une voiture ! C'est en réponse à de telles irrégularités que, quatre mois après la fin du Tour 1904, l'Union vélocipédique de France disqualifie les quatre premiers coureurs, donnant la victoire à Henri Cornet, et qu'en 1910 les organisateurs du Tour introduisent la « voiture-balai », initialement destinée à surveiller les derniers coureurs, plutôt qu'à amener les coureurs qui ont abandonné jusqu'à l'arrivée. Ce type d'irrégularité, réduit à partir de 1908 par le poinçonnage des machines des coureurs puis par l'introduction de commissaires de course qui font signer les coureurs à certains points de chaque étape, ne cesse d'ailleurs pas complètement après les années 1910, puisqu'en 1938 encore Georges Speicher est mis hors course pour s'être accroché à une voiture sur la montée d'Aspin.

D'autre part, alors que la course était individuelle et qu'en conséquence aucun équipier ou réparateur n'était autorisé à venir aider les coureurs victimes d'incidents de course, le système par points avait pour avantage de permettre à un coureur de ne pas essuyer des pertes de temps rédhibitoires — ce qui était perçu comme injuste — même s'il avait été victime d'un incident (crevaison, chute, etc.) qui, au cours de telle ou telle étape, lui avait fait perdre un temps considérable. Ce système avait aussi pour avantage de réduire l'intérêt qu'avaient les victimes d'incidents mécaniques à enfreindre les règles de course qui, jusqu'en 1923, interdisaient de réparer une bicyclette en remplaçant telle partie cassée par une partie neuve et, jusqu'en 1930, obligeaient les coureurs à réparer leur machine eux-mêmes et leur interdisaient de la remplacer par une autre. Malgré cela, le système par points n'est pas retenu sur le long terme, parce qu'il n'incite pas les coureurs distancés à se battre : si c'est le rang d'arrivée qui compte, à quoi bon se battre pour rattraper quelques secondes ou minutes sur son devancier ? En outre, cela est particulièrement dommageable dès lors que le Tour, à partir de 1910, comporte des étapes de montagne : ces étapes ayant pour objet de creuser des écarts chronométriques entre coureurs, elles sont relativement dévalorisées par le classement par points. Lorsqu'en 1913 les organisateurs du Tour reviennent à un classement au temps, ils sont accusés par les supporters belges de vouloir désavantager Odile Defraye, le vainqueur du Tour 1912, qui a gagné par points mais aurait perdu au temps face à Eugène Christophe, le coureur français le plus populaire de l'époque. De fait, comme *L'Auto* se vend moins bien lorsque le vainqueur du Tour n'est pas français, les organisateurs ont pu céder à la tentation d'établir une règle favorable aux champions français. C'est pourquoi en 1913, pour garantir l'impartialité de l'arbitrage de la compétition, les organisateurs engagent comme commissaires de course des fonctionnaires de l'Union vélocipédique de France.

Comment s'expliquent le passage d'une course individuelle à une course en équipes et les allers-retours entre course d'équipes de marques et d'équipes nationales ? Lors de la création du Tour en 1903, les organisateurs, dont l'objectif est d'accroître les ventes de *L'Auto* ainsi que ses recettes publicitaires, en font une course strictement individuelle : ce type de course, qui favorise l'affrontement des « géants de la route » d'homme à homme et produit donc des récits épiques, est le mieux à même de susciter l'intérêt du lectorat d'un journal sportif. La règle selon laquelle une course est strictement individuelle et aucune aide n'est autorisée entre coureurs est toutefois difficile à faire appliquer, puisque certains coureurs peuvent avoir intérêt à s'entraider. Ainsi, en 1911, Maurice Brocco est exclu de la course, soupçonné de courir au service d'autres coureurs contre rémunération. C'est en partie pourquoi à partir de 1910, puis de 1925, les organisateurs du Tour permettent aux coureurs de courir au sein d'équipes de marques, c'est-à-dire d'équipes sponsorisées par un annonceur — le plus souvent, une enseigne de cycles ou de pneumatiques. Ce type de course peut sembler moins héroïque puisque désormais le succès de tel ou tel coureur ne dépend plus de lui seul, mais aussi de l'équipe qui l'entoure, même si jusqu'à la fin des années 1920 les organisateurs font tout pour éviter l'entraide entre coéquipiers (voir encadré ci-après).

Toutefois, l'autorisation de courir au sein d'équipes de marques, plutôt que sans équipes, a pour avantage de permettre aux organisateurs d'accroître leur chiffre d'affaires et d'en diversifier les sources, puisque les sponsors d'équipes, attirés par la popularité croissante du Tour, sont prêts à verser un droit d'entrée. Ajoutons qu'il était délicat, pour les organisateurs, d'autoriser des annonceurs à sponsoriser uniquement des coureurs individuels, et non des équipes entières : si les organisateurs avaient autorisé les annonceurs à sponsoriser plusieurs coureurs individuels à la fois, ces annonceurs auraient incité leurs coureurs à collaborer, constituant ainsi des équipes de fait et désavantageant les coureurs qui ne bénéficiaient pas de tels « coéquipiers » ; et interdire aux annonceurs de sponsoriser plusieurs coureurs à la fois revenait pour les organisateurs à réduire leur chiffre d'affaires.

En 1930 et jusqu'en 1961, les organisateurs du Tour excluent ces équipes de marques au profit d'équipes nationales (ainsi que d'équipes régionales, soutenues par des journaux régionaux et censées accroître encore l'identification des spectateurs à certains coureurs). En effet, les organisateurs considèrent que les équipes de marques mettent en danger l'incertitude de la course, les équipes les plus richement dotées telles Automoto, vainqueur de 1923 à 1926, et surtout Alcyon, vainqueur de 1927 à 1929, pouvant d'une part engager les meilleurs coureurs (« écraser la course ») et d'autre part acheter les coureurs ou les équipes concurrentes (« verrouiller la course ») afin de s'assurer la victoire et la publicité afférente. À la fin des années 1920, les organisateurs du Tour, qui cherchent à motiver les coureurs à améliorer leurs performances, mais aussi à éviter la collusion entre équipes, multiplient les contre-la-montre par équipe. En effet, comme ces épreuves font partir les équipes les unes après les autres (l'équipe gagnante étant la plus rapide sur le parcours), elles empêchent les équipes de collaborer, notamment en s'abritant mutuellement contre le vent. Mais cette solution a aussi pour inconvénient que les meilleures équipes écrasent la course, ce qui conduit en 1930 à la décision d'exclure les équipes de marque. En fait, c'est la combinaison entre la concentration croissante des firmes dans l'industrie du cycle et les perspectives de ventes de bicyclettes toujours élevées (voir graphique 1) qui conduit, dans les années 1920, ces nouvelles grandes entreprises, telle Alcyon, à accroître le volume de leurs investissements publicitaires au risque de faire perdre à la course tout son intérêt sportif. Par contraste, la formation d'équipes nationales empêche qu'une équipe soit composée de tous les meilleurs coureurs du monde, et cela réduit le risque qu'une équipe accepte de vendre ses services à une équipe concurrente.

La nouvelle formule sans équipes de marques, censée accroître l'intérêt sportif de la course, est toutefois coûteuse à court terme, puisqu'elle prive les organisateurs du Tour des droits d'entrée qu'étaient prêtes à payer les équipes de marques pour participer à la course, et qu'elle contraint le Tour à financer lui-même les vélos des coureurs ainsi que leur hébergement, leur nourriture et ceux de leurs mécaniciens et masseurs. C'est pour compenser ce manque à gagner qu'en 1930 les organisateurs instaurent la « caravane », c'est-à-dire des véhicules qui rémunèrent le Tour pour faire de la publicité sur son trajet. Les organisateurs commencent aussi à faire payer aux villes le privilège d'être étape du Tour, car le passage de l'épreuve provoque une hausse d'activité pour l'hôtellerie et la restauration et offre à la commune une publicité de grande ampleur. Cette formule sans équipes de marques s'accommode toutefois de certaines évolutions : alors que, dans les années 1930, toutes les équipes nationales sont tenues de courir sur un même type de vélo, sans marque, fourni par les organisateurs, à partir de 1947, les équipes nationales sont autorisées à rouler chacune sur un vélo de marque. Ainsi sont réintroduits des sponsors d'équipes moins susceptibles de verrouiller une course où s'affrontent toujours des nations. Quant au bref retour aux équipes nationales en 1967-1968, il peut en partie s'expliquer par la volonté des organisateurs de punir les équipes de marques pour avoir organisé en 1966 une grève des coureurs contre les premiers contrôles antidopage.

À partir de 1962, les organisateurs du Tour réintroduisent les équipes de marques. À ce changement de règlement on peut voir plusieurs raisons. D'une part, alors que depuis les années 1950 les ventes de vélos baissent fortement en France et plus largement en Europe occidentale, et qu'en conséquence la plupart des sociétés de cycles et pneumatiques cessent peu à peu de sponsoriser le Tour, le coût de l'organisation de la course (hébergement et restauration des coureurs, fourniture du matériel de course, primes et trophées, etc.) apparaît peu à peu prohibitif. Autoriser des équipes de marques à participer à la course permettrait de ce point de vue de faire reporter sur ces équipes les frais d'entretien des coureurs et donc d'améliorer la rentabilité du Tour. D'autre part, dans un contexte où certaines marques « extra-sportives » qui sponsorisent des équipes cyclistes

Le Tour de France, une épreuve individuelle… en équipes

Le Tour de France est une épreuve individuelle car c'est un coureur, et non pas une équipe, qui gagne la plupart des étapes et la course elle-même. En outre, certains coureurs, les leaders d'équipe, poursuivent leurs seuls objectifs personnels. Mais le Tour est aussi une épreuve collective puisque, depuis 1910, certains coureurs — et, depuis 1938, *tous* les coureurs — font l'épreuve au sein d'une équipe et c'est une équipe qui gagne les contre-la-montre par équipe (son temps est celui du 5e coéquipier arrivé, et certaines années ce temps ne compte même pas dans le temps des coureurs individuels) ainsi que le classement général par équipe (son temps est celui des trois meilleurs coéquipiers). En outre, la plupart des coureurs sont, au sein de leur équipe, au service de leur leader. Le Tour est donc une épreuve dans laquelle s'affrontent individuellement des leaders d'équipe, eux-mêmes servis par leurs coéquipiers. Les équipes sélectionnées pour courir le Tour sont, jusqu'à la fin des années 1980, choisies, voire constituées par les organisateurs du Tour eux-mêmes puis, à partir de 1989, choisies pour la plupart selon le classement mondial des équipes établi par l'Union cycliste internationale.

Une équipe cycliste est un collectif d'un peu moins de dix coureurs (aujourd'hui 25, dont 9 participent au Tour), auxquels s'ajoutent un directeur sportif, des soigneurs et des mécaniciens (Garnotel [2009] décrit l'organisation sociale du peloton). Chaque coureur reçoit du sponsor d'équipe un salaire annuel fixe, plus ou moins élevé selon sa valeur. En outre, depuis la fin des années 1940, les coéquipiers se répartissent collectivement leurs primes de course : maillots, victoires d'étape, podiums, etc., si bien qu'un coureur a intérêt à ce que ses coéquipiers soient performants et peut même avoir intérêt à sacrifier ses chances de victoire pour améliorer les gains de l'équipe ainsi que les siens. Au sein de l'équipe, le *leader*, dont le numéro de dossard finit par un 1, est celui qui a le plus de chances de remporter des étapes, des maillots et/ou la course elle-même. Le leader d'équipe peut être un « rouleur », capable de gagner des étapes de plat suite à de longues échappées solitaires ; ou un « grimpeur », capable de gagner des étapes de montagne ; ou un « sprinter », capable de gagner des étapes de plat à l'issue desquelles le peloton arrive groupé. Les *coéquipiers*, autrefois appelés « domestiques », sont quant à eux employés pour permettre à leur leader de réaliser les meilleures performances. Pour cela, ils peuvent s'occuper pour lui de ses ravitaillements, le protéger des chutes ou lui donner leur vélo en cas de crevaison. Par exemple, dans le Tour 1934, le jeune René Vietto sacrifie ses chances de victoire et émeut la France en donnant par deux fois sa roue au leader de l'équipe de France, Antonin Magne [Thompson, 2003]. Mais la contribution majeure des coéquipiers consiste à entourer physiquement leur leader et plus particulièrement à rouler juste devant lui ou, si le vent souffle latéralement, à rouler à ses côtés, afin de réduire la résistance de l'air à laquelle il fait face [Olds, 1998]. Ainsi, c'est en ayant fourni un volume d'effort minimal que le leader d'équipe pourra aborder les étapes ou portions d'étape lors desquelles lui seul peut faire la différence avec les leaders d'équipes adverses (Prinz et Wicker [2012] et Rogge *et al.* [2013] analysent l'efficience des différents types d'équipes sur les Tours 2007 à 2011 : équipes qui visent le général, ou équipes de sprinters, ou équipes à visées plus variées).

Preuve empirique que le Tour de France est bien en partie une épreuve collective : une étude montre que, sur le Tour 2004, les caractéristiques qui tendent à améliorer le classement d'arrivée des coureurs sont non seulement certaines de leurs caractéristiques individuelles (plus faible indice de masse corporelle, meilleure performance dans les Tours passés, etc.) mais aussi certaines caractéristiques de leurs coéquipiers (leur niveau de performance et d'expérience) et enfin leur position relative au sein de leur équipe : toutes choses égales par ailleurs, le fait d'être leader d'équipe améliore les performances, tout comme le fait d'être relativement plus performant, expérimenté ou en meilleure condition physique que ses coéquipiers [Torgler, 2007]. Cela indique non seulement qu'au sein des équipes les coureurs tendent à être complémentaires, mais aussi qu'ils tendent à avoir des rôles relativement distincts qui les conduisent, s'ils sont leaders, à profiter des efforts de leurs coéquipiers ou, s'ils sont coéquipiers, à sacrifier leurs performances individuelles au profit de la performance de leur leader.

Au sein d'une équipe de marque, les coureurs ont le plus souvent intérêt à remplir au mieux leurs rôles respectifs afin de maximiser les gains totaux de l'équipe : s'ils jouent « perso », ils seront licenciés et auront le plus grand mal à trouver une autre équipe pour les employer. Toutefois, lorsque le Tour était la seule grande course cycliste courue entre équipes nationales (1930-1961, 1967-1968) et que le reste de l'année les coureurs couraient entre équipes de marques, les directeurs sportifs nationaux ne pouvaient pas menacer leurs coureurs de les licencier ou de les sanctionner, si bien que plusieurs coureurs pouvaient se disputer le rôle de leader ou refuser de se mettre au service les uns des autres. Parmi les tensions les plus évidentes au sein des équipes nationales, on compte celles entre Gino Bartali et Fausto Coppi au sein de l'équipe italienne du Tour 1949, entre Louison Bobet et Raphaël Géminiani au sein de l'équipe française du Tour 1953, et entre Jacques Anquetil et Roger Rivière au sein de l'équipe française du Tour 1959. Dans ce dernier cas, aucun des deux Français n'accepte de coopérer avec l'autre, ce qui permet à Federico Bahamontes de gagner le Tour. Toutefois, sur le Tour 1967, une fois que Raymond Poulidor ne peut plus gagner, il donne tout pour la victoire de son coéquipier d'équipe de France Roger Pingeon.

Que les équipes qui s'affrontent sur le Tour soient des équipes nationales ou des équipes de marques, elles sont fondamentalement en concurrence pour maximiser la part des primes qu'elles pourront s'attribuer. Toutefois, certaines formes de collusion peuvent aussi apparaître entre équipes. Plutôt que de se faire concurrence, les équipes peuvent s'arranger pour viser des objectifs différents : les « grandes » équipes, qui visent la victoire ou les maillots du meilleur sprinter ou du meilleur grimpeur, ne contestent pas les victoires d'étape ou les sprints intermédiaires aux « petites » équipes, pourvu que ces dernières ne leur contestent pas les maillots [Calvet, 1981]. Un coureur peut aussi vendre son aide à un rival [Chany et Cazeneuve, 2003]. Dès 1903, Hippolyte Aucouturier se sacrifie pour Émile Georget, contre de l'argent et une victoire d'étape à Marseille. En 1929, l'équipe Alcyon paie des équipes rivales pour assurer la victoire de son coureur le mieux placé, Maurice De Waele. « On a fait gagner un cadavre », s'indigne alors Desgrange, qui interdit l'année suivante les équipes de marques. Mais des équipes nationales ou régionales peuvent elles aussi s'entendre pour leur bénéfice mutuel : en 1947, alors que Jean Robic est échappé et peut gagner la course si son coéchappé Édouard Fachleitner accepte de le protéger du vent, Robic lui propose 100 000 F, soit 20 % de la prime du vainqueur — ce qu'il accepte, permettant à Robic de gagner ce Tour à la dernière étape... et de tenir la promesse qu'il avait faite avant le départ à son épouse : « Je n'ai pas de dot, mais je t'offrirai le premier prix du Tour. » Plus récemment, Richard Virenque, qui avait besoin d'une victoire d'étape pour satisfaire son public, a acheté 100 000 F au maillot jaune Jan Ullrich la 14e étape du Tour 1997 [Roussel, 2001].

souhaitent faire pression sur les organisateurs du Tour pour pouvoir être représentées dans la course cycliste la plus médiatisée du monde, l'interdiction des équipes de marques, qui n'existe pas sur les courses concurrentes, conduit ces dernières à refuser que certains de leurs coureurs vedettes participent au Tour. Plus particulièrement, lorsque plusieurs coureurs d'une nationalité donnée étaient recrutés pour constituer l'équipe nationale qui participerait au Tour de France, certains d'entre eux, salariés tout au long de l'année par un annonceur, étaient interdits par leur employeur de se mettre au service d'un coureur salarié d'un annonceur concurrent ; c'est ainsi que Jacques Anquetil est absent du Tour 1960, et Raymond Poulidor du Tour 1961. C'est donc non seulement pour accroître leur profit malgré la baisse des recettes de sponsoring des sociétés de cycles, mais aussi pour continuer d'être attractifs pour les coureurs vedettes, que les organisateurs du Tour sont conduits, en 1962, à restaurer les équipes de marques. En outre, la formule des équipes nationales n'ayant jamais permis d'éliminer complètement les loyautés entre coureurs de nationalités différentes qui couraient dans la même équipe de marque le reste de l'année, et le retour en 1967-1968 de ces équipes nationales n'accroissant pas manifestement l'intensité de la concurrence entre équipes, le retour aux équipes de marques au sein du Tour pouvait tendre à rendre les stratégies de course moins troubles sans pour autant réduire la qualité du spectacle. D'autres reproches formulés à l'encontre des équipes nationales, selon lesquels elles ne seraient pas suffisamment soudées ou défavoriseraient les champions, comme le Luxembourgeois Charly Gaul, sans coéquipiers nationaux en nombre suffisant, ont été moins décisifs.

La dernière innovation notable dans l'organisation du Tour date du début des années 1980 : c'est l'adoption de la formule « open », c'est-à-dire l'ouverture du Tour à des équipes amateurs. Les équipes d'Europe de l'Est, pour lesquelles la formule a été adoptée, déclinent l'invitation — ce n'est qu'en 1990 qu'une équipe de coureurs soviétiques se présente —, mais des équipes professionnelles colombienne et états-unienne participent respectivement à partir de 1983 et 1986. Cette initiative a deux objectifs : accroître l'incertitude de la course, qui tend de nouveau à être réduite par la collusion entre équipes de marques pour se répartir les primes et la publicité afférente, et accroître la notoriété du Tour à l'étranger.

Notons enfin que les organisateurs du Tour ont parfois été suspectés de modifier à court terme certains paramètres de la course afin d'accroître sa popularité auprès des spectateurs français. Ainsi la distance parcourue en contre-la-montre est-elle raccourcie en 1953 pour atténuer les effets de la domination suisse dans cette discipline, et elle est au contraire allongée en 1985 pour favoriser les chances de Bernard Hinault de gagner son cinquième Tour. Toutefois, les organisateurs n'hésitent pas non plus en 1963 à réduire la distance parcourue en contre-la-montre et à placer plusieurs arrivées d'étapes de montagne au sommet des cols (ce qui n'est pas nouveau en soi, la première arrivée à un sommet datant de 1952), plutôt qu'après la descente, afin d'éviter que Jacques Anquetil écrase la course ; deux ans plus tôt, Jacques Goddet avait qualifié les adversaires résignés d'Anquetil de « nains de la route » [Chany et

Cazeneuve, 2003]. L'objectif des organisateurs du Tour apparaît donc clairement commercial plutôt que patriotique.

L'histoire de l'organisation du Tour est ainsi marquée par l'arbitrage qu'ont dû faire les organisateurs entre l'autorisation et l'interdiction des sponsors d'équipes, qui certes constituent une source de revenus mais tendent à tuer le suspense de la course et donc à menacer ses recettes sur le long terme.

Les coureurs : effectif et origine sociale

Ces modifications de l'organisation du Tour n'ont pas été sans conséquences sur le nombre de coureurs engagés. Alors que le nombre de coureurs a beaucoup varié jusqu'aux années 1920, de 60 à plus de 160 coureurs, ce nombre chute dans les années 1930 : étant donné que, à la suite du remplacement en 1930 des équipes de marques par des équipes nationales, c'est désormais *L'Auto* qui paie le matériel et le ravitaillement des coureurs, les organisateurs cherchent à réduire leurs frais de course en réduisant le nombre de coureurs admis. Comme à partir de 1934 *L'Auto* prend aussi en charge la course des « individuels », leur nombre est à son tour restreint. Après guerre, le nombre de coureurs engagés augmente régulièrement, passant de 100 en 1947 à environ 150 au début des années 1980. Au cours des années 1980, la formule « open » et la hausse du nombre de sponsors d'équipes conduisent à une forte hausse du nombre de coureurs : en 1986, on compte 210 coureurs engagés (voir graphique 11).

Il n'est pas aisé de connaître précisément les caractéristiques sociodémographiques des 14 010 « coureurs-années » qui ont été engagés dans le Tour de 1903 à 2013. Nous ignorons tout d'abord leur âge. L'âge du vainqueur, toutefois, est connu : de 1903 à 2013, 18 % ont de 20 à 24 ans, 47 % ont de 25 à 29 ans et 35 % ont de 30 à 36 ans [A.S.O. et Augendre, 2013]. Sur le long terme, cet âge à la victoire ne connaît pas d'évolution notable. Nous ignorons aussi l'origine et la position sociales détaillées des coureurs. Il semble toutefois que leur condition sociale avant leur entrée dans la carrière cycliste soit

Graphique 11. **Nombre de coureurs engagés dans le Tour de France (1903-2013)**

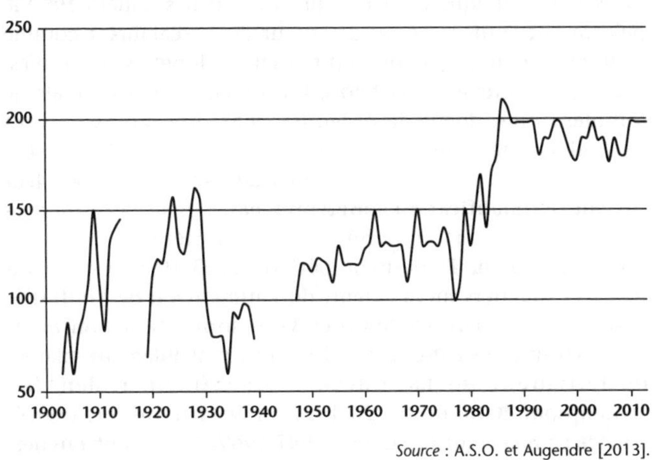

Source : A.S.O. et Augendre [2013].

relativement populaire : ils sont en bonne partie des enfants de paysans qui ont eux-mêmes exercé des métiers de travailleurs manuels, ouvriers ou petits employés des services. Des années 1970 aux années 2000, il apparaît que les coureurs professionnels français sont toujours de façon disproportionnée enfants d'agriculteurs et d'ouvriers, même si ces origines sociales se raréfient au fil du temps [Lefèvre, 2007, p. 288-291]. Il semble aussi qu'une forte proportion d'entre eux aient vécu leur enfance à la campagne, où la bicyclette est un moyen de transport et un loisir populaires. C'est peut-être pour ces raisons combinées que la Bretagne — une terre agricole longtemps relativement pauvre — a fourni un si grand nombre de coureurs cyclistes, parmi lesquels les champions Lucien Petit-Breton, Jean Robic, Louison Bobet et Bernard Hinault, qui à eux seuls totalisent plus de 30 % des victoires françaises sur le Tour.

Les coureurs cyclistes ont longtemps été peu diplômés. Dans les années 1970 encore, seuls 3 % des coureurs cyclistes français détiennent le baccalauréat [Calvet, 1981, p. 98-99], soit environ huit fois moins que l'ensemble des membres de leurs générations. Cela explique en partie qu'au début des années 1980 le peloton ait surnommé un détenteur du baccalauréat comme Laurent Fignon, qui de surcroît portait des lunettes, « le professeur » ou « l'intello ». Toutefois, les coureurs professionnels ne semblent plus, depuis la décennie 1990, être moins souvent bacheliers que la moyenne [Lefèvre, 2007, p. 295-298]. Les métiers exercés par les coureurs du Tour sont en lien avec leur niveau de qualification longtemps bas. Sur les 125 métiers exercés avant et/ou pendant leur carrière cycliste par 107 coureurs du Tour sur la période 1903-1939, 40 % sont ouvriers (ouvriers mécaniciens, du bâtiment ou de l'industrie mais aussi ouvriers agricoles) et 32 % sont artisans ou petits commerçants, les autres étant des actifs, probablement salariés, du tertiaire, dont la profession est difficile à identifier [Thompson, 2006, p. 267-268]. Et sur les 107 métiers exercés par 99 coureurs sur la période 1947-1969, 58 % sont ouvriers et 28 % artisans ou petits commerçants, 14 % travaillant dans le tertiaire. Parmi ces coureurs sont surreprésentées les mécaniciens, tant leurs compétences sont précieuses pour la course jusque dans les années 1960, mais sans doute aussi des professions qui laissent suffisamment de temps pour la pratique cycliste : des salariés de petites entreprises qui peuvent négocier avec leur patron certaines absences lors des compétitions et pour les entraînements, des artisans et apprentis du bâtiment profitant du fait que leur métier est fortement saisonnier. Si la carrière sportive permet à certains coureurs de connaître une certaine ascension sociale, cette dernière reste généralement d'ampleur modeste : jusqu'aux années 1960, avec leurs primes gagnées sur le Tour et d'autres courses, certains coureurs peuvent ouvrir un petit magasin : café, restaurant ou magasin de cycles [Thompson, 2006, p. 141-179]. Si le cyclisme est un sport de prolétaires, la plupart des retraités du cyclisme sont loin d'être opulents.

Le fait que les coureurs du Tour soient de condition sociale relativement populaire n'est pas anecdotique. D'une part, du point de vue des spectateurs, cela n'a pu que faciliter l'identification à ces champions. Par exemple, la popularité de Raymond Poulidor provient en partie de son image simple de paysan limousin. Pendant le Tour 1966, 39 % des français préféreraient voir Poulidor gagner, contre 26 % Anquetil (et 35 % qui ne se prononcent pas) [Pratviel et Chevalier, 2012]. Plus généralement, de Maurice Garin le ramoneur, vainqueur en 1903, à Bernard Hinault l'ajusteur, vainqueur à cinq reprises de 1978 à 1985, en passant par d'autres exemples fameux — Lucien Petit-Breton le groom, Fausto Coppi l'apprenti charcutier, Louison Bobet l'apprenti boulanger ou encore Jacques Anquetil l'ajusteur —, les spectateurs n'ont pu qu'être fascinés par les exploits sportifs et l'ascension sociale hors du commun d'hommes qui étaient initialement de condition si commune. Les « ouvriers de la pédale », selon une appellation fréquente jusqu'en 1939, sont les premiers ouvriers peu qualifiés à faire de leur force et de leur résistance à la souffrance, mais aussi de leurs qualités de mécaniciens, des moyens d'accès à la gloire et à la fortune.

D'autre part, le fait que les coureurs du Tour soient des prolétaires expose longtemps la course à certaines critiques bourgeoises [Thompson, 2006]. Les manières grossières des coureurs sont-elles un bon exemple à donner à la jeunesse ? Et, surtout, la perspective de l'argent « facile » et rapide du cyclisme ne risque-t-elle pas de rebuter la jeunesse et les salariés au travail dans les champs et les usines ? Bref, le Tour de France n'est-il pas un agent du désordre social ? Soucieux de répondre à ces critiques, Henri Desgrange répète à l'envi que le sport civilise et moralise les classes populaires. Au sein du Tour, il applique un règlement strict : les coureurs doivent porter attention à leur propreté physique et porter une « tenue correcte » ; ils ne doivent rien jeter sur les routes, pas même certains de leurs vêtements lorsque la température s'est réchauffée (voir encadré ci-après sur « Les forçats de la route » d'Albert Londres, 1924) ; ils ne doivent ni jurer ni se battre, ni uriner en public, ni voler de boissons dans les cafés, etc. L'objectif de Desgrange est clair : rassurer le bourgeois, et pour cela faire apparaître les coureurs comme de respectables « artisans de la pédale », dotés d'esprit d'indépendance et d'un amour du travail bien fait, voire comme d'élégants « aristocrates du vélo ».

Le Tour de France est-il sexiste ?

Parmi les tendances majeures de l'histoire sociale française dont le Tour de France n'est *pas* révélateur, on notera l'émancipation des femmes. Le cyclisme étant un sport qui requiert avant tout force, endurance et résistance à la souffrance, il offre un spectacle qui met en valeur des qualités conçues comme typiquement masculines, et peu les qualités conçues comme typiquement féminines. Alors que, parmi les 20 fédérations unisports olympiques agréées comptant le plus de licences sportives en France en 2011, on compte en moyenne 29 % de licences féminines, la Fédération française de cyclisme n'en compte que 10 %, soit moins que toutes les autres sauf les fédérations françaises de football, rugby et tir [MEOS, 2012]. Plus que beaucoup d'autres spectacles sportifs, le Tour de France reste un spectacle dans lequel hommes et femmes incarnent des rôles fortement distincts : les hommes sont les héros et les femmes sont réduites à des seconds rôles propres à leur sexe, telles les hôtesses de course qui embrassent le vainqueur d'étape (rôle du faire-valoir) et les épouses ou mères de coureur qui assistent impuissantes mais admiratives aux exploits de leurs héros [Terret, 2003 ; Thompson, 2006, p. 95-140]. De même, le Tour de France féminin (1984-1989), le Tour de la CEE féminin (1990-1993), le Tour cycliste féminin (1992-1997) et la Grande Boucle féminine (1998-2009) n'ont jamais connu de véritable succès auprès du grand public, malgré les exploits de Jeannie Longo. Ce faible intérêt pour le cyclisme féminin n'est sans doute pas dû à une supposée faiblesse des performances des cyclistes féminines : alors qu'en 1977 le record féminin de l'heure cycliste homologué par l'Union cycliste internationale est encore inférieur de plus de 19 % au record masculin, en 2011 il ne lui est inférieur que d'à peine 3 %.

Le parcours du Tour et les nationalités des coureurs

Les modifications de l'organisation du Tour ont aussi porté sur le parcours de la course, en lien avec la diversification des pays d'où sont originaires les coureurs engagés. De sa création jusqu'à la Seconde Guerre mondiale, le Tour de France cherche à susciter l'intérêt du public en exaltant le sentiment national français, ancré notamment dans l'histoire et la géographie du pays. Les propriétaires et les sponsors du Tour visant à accroître les ventes de *L'Auto* et de bicyclettes en France, il n'est pas étonnant qu'ils restreignent largement le parcours de la course à l'Hexagone. Le Tour réaffirme les « frontières naturelles » de la France, comme en témoignent son passage en Alsace-Moselle allemande de 1906 à 1909, ainsi que son passage en 1919 par les provinces reconquises, Strasbourg et Metz. Le Tour part de la région parisienne (sauf en 1926, où il part d'Évian) pour faire une « grande boucle » autour du territoire de la métropole, dans le sens des aiguilles d'une montre de 1903 à 1912 et de 1933 à 1937, dans le sens inverse de 1913 à 1932 et en 1938-1939 (Boury [1997, p. 241 & 250-251] propose une analyse partiellement quantitative de l'évolution de la géographie du parcours du Tour : principales villes-étapes du Tour et nombre de passages dans les cols des Alpes). Le Tour, qui renouvelle la tradition des tours monarchiques, des tours des compagnons et des tours pédagogiques comme *Le Tour de France par deux enfants*, célèbre au fil de ses étapes les héros et les batailles de l'histoire de France : il est un « petit livre jaune de la République » [Bœuf et Léonard, 2003]. Le Tour part aussi à la découverte du territoire national, dont les commentateurs vantent sur un ton lyrique l'immensité, la beauté et les identités locales : le patrimoine naturel, architectural et culinaire des « petites patries ». On a ainsi pu qualifier le Tour de « moment d'appropriation symbolique du territoire national » [Fumey, 2006].

Aujourd'hui encore, la dimension identitaire du Tour n'a certainement pas disparu pour les spectateurs français. Ils espèrent toujours que le 14 Juillet sera propice à une victoire française, et lorsqu'en 1989 on fête le bicentenaire de la Révolution française, le Tour offre au kilomètre 1789 une prime de 17 890 francs. En 1994, le Tour commémore le cinquantenaire du débarquement de Normandie au cours de l'étape entre Cherbourg et Rennes : l'étape passe par Utah Beach, Sainte-Mère-l'Église et Saint-Lô — c'est d'ailleurs un coureur allemand qui remporte la prime du Mémorial à Saint-Lô. Et en 2014 le Tour commémore le centenaire du début de la Première Guerre mondiale en passant par Ypres, le chemin des Dames et les champs de bataille de Verdun. Dans cette lignée, certains chefs d'État et, lors de l'arrivée, les maires de Paris ne manquent pas de saluer la course : le général de Gaulle lorsque le Tour 1960 passe à Colombey-les-Deux-Églises, Valéry Giscard d'Estaing lors de la victoire en 1975 de Bernard Thévenet sur les Champs-Élysées, Jacques Chirac lorsque le Tour 1998 passe en Corrèze,

Nicolas Sarkozy de 2007 à 2011 ou encore François Hollande lorsque le Tour 2012 passe à Brive-la-Gaillarde. Le peloton passe aussi devant divers lieux symboliques — et touristiques — du pays tels l'Arc de triomphe, visité dès les premières éditions et lieu d'arrivée du Tour à partir de 1975, le pont de Tancarville (1960), le Mont-Saint-Michel (1990, 2013), Eurotunnel (1994), le pont de Normandie (1995), le viaduc de Millau (2005), etc. Le Tour de France est donc en partie le Tour de *la* France. Des années 1980 aux années 2000, le commentateur télévisé Jean-Paul Ollivier relie ainsi l'histoire et la géographie du Tour à celles de la France.

En faisant s'affronter des équipes régionales, puis en exposant la diversité culturelle d'une France traditionnelle, non sans stéréotypes ni idéalisation, et en faisant honneur au « régional de l'étape », le Tour met particulièrement en valeur les identités régionales [Thompson, 2006, p. 51-94]. Lors des toutes premières éditions et jusqu'à la Première Guerre mondiale, les spectateurs de plusieurs régions sabotent les chances de certains coureurs afin d'avantager leur favori, en les insultant, en jetant des clous, des tessons de bouteille et des pierres sur la route, en faisant obstruction à la course, en menaçant ces coureurs à l'aide d'armes ou en les frappant, voire en leur donnant des boissons empoisonnées, ce dont est victime Paul Duboc en 1911 dans l'ascension de l'Aubisque. Dès 1903, Henri Desgrange dénonce un « débordement de chauvinisme local » [Chany et Cazeneuve, 2003]. Dans les années 1930, les journaux bretons ne manquent pas de se plaindre que leur région n'accueille le Tour que trop rarement. Depuis lors, plusieurs étapes ou passages du Tour ont eu pour objectif de saluer tel ou tel local de l'étape : c'est le cas des passages à Herentals (1962, chez Rik Van Looy), Yffiniac (1979, chez Bernard Hinault), Pampelune (1996, chez Miguel Indurain), Rouen (1997, pour les 40 ans de la première victoire de Jacques Anquetil et les 10 ans de son décès), ou encore Saint-Méen-le-Grand (2006, chez Louison Bobet).

Le caractère identitaire du Tour ne se vérifie toutefois pas qu'en France. Le Tour révèle ainsi des tensions nationalistes entre pays. Dans les premières éditions du Tour, des coureurs étrangers accusent certains commissaires de course de donner des ravitaillements illégaux aux coureurs français les plus populaires, notamment Maurice Garin, dont la victoire accroîtrait sans doute les ventes de *L'Auto*. En 1912, plusieurs coureurs belges qui courent dans des équipes de marques différentes sont soupçonnés d'œuvrer à la victoire du champion belge Odile Defraye, ce qui conduit le Français Octave Lapize et son équipe à quitter le Tour. De même, en 1929, des coureurs belges d'équipes différentes sont accusés d'avoir permis à Maurice De Waele de gagner. Dans les deux cas, l'équipe de marque Alcyon a payé des coureurs d'équipes adverses pour s'assurer la victoire. Dans les années 1930, le remplacement des équipes de marques par des équipes nationales conduit les commentateurs à concevoir la compétition comme un champ de bataille entre pays, qui pourrait toutefois promouvoir une réconciliation par le sport [Le Chaffotec, 1992]. Par exemple, le maillot jaune Sylvère Maes et toute l'équipe belge quittent le Tour 1937 tant ils soupçonnent les organisateurs d'appliquer le règlement de façon partiale en faveur des Français : les Belges apparaissant trop supérieurs en contre-la-montre, Henri Desgrange annule ces étapes et il ne pénalise qu'à peine le Français Roger Lapébie pour ses écarts au règlement. De même, en 1939, le Tour adopte la règle selon laquelle le dernier coureur au classement général à chaque étape est éliminé, mais comme son application finit par menacer d'exclure du Tour le premier porteur français du maillot jaune de l'année (Amédée Fournier), les organisateurs décident de ne plus appliquer cette règle ; or il n'est pas garanti que les organisateurs auraient pris la même décision si le premier porteur du maillot jaune avait été belge ! La seconde moitié des années 1930 est quant à elle marquée par les tensions internationales, qui conduisent en 1936 les coureurs italiens puis, en 1939, les coureurs italiens, allemands et espagnols à s'absenter du Tour. C'est précisément parce que l'absence de ces équipes étrangères risque de nuire à la compétition que les organisateurs invitent en 1939 non plus une mais deux équipes belges (A et B), ainsi que quatre équipes régionales françaises. Après guerre, pour le Tour 1947, l'équipe allemande n'est pas invitée et l'équipe italienne n'est formée que d'Italiens ou de

Français d'origine italienne résidant en France : les souvenirs de l'Occupation sont trop vivaces. Le retour à la normale a lieu en 1948.

Le Tour révèle aussi des tensions régionalistes au sein de certains pays. Sur le Tour 1932, l'équipe belge est marquée par de profondes divisions entre coureurs wallons et flamands. Dans les années 1950, la rivalité entre Gino Bartali, dit « le pieux », et Fausto Coppi symbolise aux yeux des Italiens les divisions sociales, religieuses et régionales de leur pays : selon Curzio Malaparte, « Bartali appartient à tous ceux qui croient aux traditions et à leur immuabilité, à ceux qui acceptent le dogme. Il est un homme métaphysique protégé par les saints. Coppi n'a personne au Ciel pour s'occuper de lui » [Malaparte, 2007]. En 1974, des séparatistes basques profitent du passage du Tour en Espagne pour faire entendre leur cause en commettent des attentats contre le matériel de course de plusieurs équipes. Par contraste, les victoires de Merckx, qui est originaire de Bruxelles, fédèrent les Belges, wallons comme flamands. Et en 1948, alors que l'Italie connaît une atmosphère insurrectionnelle — elle subit une grève générale suite à la tentative d'assassinat du leader du Parti communiste Palmiro Togliatti —, le président du Conseil Alcide De Gasperi téléphone à Gino Bartali, qui court le Tour, pour lui demander de gagner la course afin de détourner l'attention de ses concitoyens sur un objet de réjouissances plus consensuel. De nos jours, les téléspectateurs restent attirés par les Tours qui voient triompher des coureurs de leur nationalité et dont quelques étapes passent par leur pays [Van Reeth, 2013].

En outre, le Tour lui-même est devenu, par un travail assidu de ses organisateurs, un « lieu de mémoire » [Vigarello, 1992]. Nombreux sont les cols de montagne dont le nom est indissociable du Tour de France : c'est le cas, dans les Alpes, du col d'Allos, de l'Aravis, du Galibier, de l'Izoard, du col du Télégraphe, du col de Vars ou encore du mont Ventoux ; c'est le cas aussi, dans les Pyrénées, du col des Ares, de l'Aspin, d'Aubisque, de Peyresourde, du col de Port, du Portet-d'Aspet ou du Tourmalet, gravi en 2010 pour le centenaire du premier franchissement des Pyrénées. Le Tour a pu nourrir ainsi les savoirs qu'ont les Français sur la géographie de leur pays. Les organisateurs du Tour réactivent aussi délibérément la mémoire qu'ont les spectateurs de l'histoire longue de l'épreuve. Lors du cinquantenaire du Tour, en 1953, quinze anciens vainqueurs de l'épreuve et le premier porteur du maillot jaune sont réunis pour accueillir le vainqueur, Louison Bobet, à l'arrivée de la course. Lors du centenaire, en 2003, les coureurs partent du lieu de départ du Tour 1903, devant le restaurant *Au Réveil Matin* de Montgeron, et revisitent les six villes-étapes de la première édition de la course. Ancrant l'histoire du Tour dans la géographie de la France, les organisateurs de la course ont fait ériger une stèle à Henri Desgrange au sommet du col du Galibier (1949) et une autre à Jacques Goddet au col du Tourmalet (2001).

À partir de 1947, toutefois, le Tour de France cherche à susciter l'intérêt de nouveaux spectateurs, et pour cela le parcours du Tour se diversifie [A.S.O. et Augendre, 2013]. Le Tour part non plus seulement de la région parisienne mais aussi d'autres grandes villes françaises, en commençant par Metz, Brest et Strasbourg en 1951, 1952 et 1953. À partir de 1951, le Tour cesse aussi de faire une « grande boucle » autour de la métropole et commence à traverser les régions de l'intérieur du territoire, dont le coût d'hébergement est par ailleurs moins élevé que sur le littoral. C'est dans cette logique aussi que, à partir de 1960 puis de 1971, les coureurs doivent procéder à des « transferts » en train et en avion, c'est-à-dire à des déplacements depuis une arrivée d'étape jusqu'à un départ d'étape situé dans une autre ville : cela permet aux organisateurs de multiplier les villes-étapes et de ne sélectionner que les villes les plus offrantes. C'est le cas, par exemple, de certaines stations de ski entre 1971 et 1975 ou de Merlin-Plage de 1975 à 1982, puis de divers parcs de loisirs : le Puy du Fou (1993, 1997, 1999), Eurodisney (1994), le Futuroscope (1986, 1987, 1990, 1994, 1999, 2000, racheté par A.S.O. en 2000), Cap Découverte (2003), etc. À partir de 1969, alors que le Tour, à la recherche de recettes supplémentaires, fait pour la première fois sponsoriser le maillot jaune (par Le Coq sportif et Virlux), et jusqu'en 1980, de nombreuses journées de course voient se succéder deux, voire trois étapes distinctes, ce qui là encore permet aux organisateurs de multiplier les villes-étapes et donc les recettes du Tour. Ces transferts et journées à étapes fractionnées ont toutefois pour inconvénient d'avancer l'heure de début de course et d'allonger la durée entre fin de course et début du repos du soir, donc de réduire la durée de récupération et de sommeil des coureurs. C'est pourquoi, sur la 12e étape du Tour 1978, alors que la veille au soir un long transfert a contraint les coureurs à se coucher tard et que le jour même ils ont dû se lever tôt pour enchaîner deux étapes fractionnées, les coureurs emmenés par Bernard Hinault organisent à Valence d'Agen une « grève », qui réactive dans *L'Humanité* la référence aux « forçats de la route » et aux « smicards du vélo ».

Surtout, depuis les années 1950, le Tour part de villes non françaises : Amsterdam en 1954, trois ans après la création de la Communauté européenne du charbon et de l'acier, puis Bruxelles (1958, pour saluer l'Exposition universelle), Cologne (1965), La Haye (1973), Charleroi (1975), Leyde (1978), Francfort (1980), Bâle (1982), Berlin (1987, pour le 750e anniversaire de la ville), Luxembourg (1989 puis 2002, date à laquelle Lance Armstrong remet un maillot à pois symbolique au Luxembourgeois Charly Gaul, ancien vainqueur et grand prix de la Montagne du Tour), San Sebastian (1992), s'Hertogenbosch (1996), Dublin (1998), Liège (2004, 2012), Londres (2007), Monaco (2009), Rotterdam (2010), Leeds (2014) et Utrecht (2015). Une raison spécifique de faire partir le Tour 1954 de l'étranger, et particulièrement d'Amsterdam, consistait à tuer dans l'œuf le concurrent du Tour qu'est le Tour de l'Europe (1954-1956), qui se court alors en bonne partie dans le Benelux. En outre, depuis l'après-guerre, les coureurs passent presque chaque année par l'étranger. Si, dès 1907, le Tour avait fait une incursion en Suisse au cours de l'étape Lyon-Grenoble, en 1947 le Tour connaît sa première étape disputée entièrement à l'étranger, entre Bruxelles et Luxembourg. En 1949, le Tour passe pour la première fois en Italie et en Espagne ; en 1974 il passe en Angleterre ; en 1987 il passe à Karlsruhe, la ville du baron de Drais, l'inventeur de la draisienne ; et en 1992 il traverse sept des douze pays d'Europe qui ont signé le traité sur l'Union européenne (traité de Maastricht). Il s'agit de susciter l'intérêt pour le Tour hors de France, les étapes qui passent dans un pays y étant particulièrement suivies.

Si la diversification de la géographie du Tour contribue certainement à élargir, voire à européaniser l'imaginaire de la course, la motivation qui y préside est vraisemblablement d'ordre avant tout commercial. En effet, les sponsors et annonceurs du Tour visant de plus en plus à accroître leur notoriété non seulement en France mais aussi à l'étranger, il n'est pas étonnant qu'ils appellent à diversifier le parcours de la course. C'est ainsi que l'on peut comprendre certains passages en Allemagne (en 2000, pour capitaliser sur un public enthousiasmé par Jan Ullrich et Erik Zabel) ou en Angleterre (en 2014, pour rendre visite aux compatriotes de Bradley Wiggins et Christopher Froome). Et en mettant aux enchères les lieux de départ et de passage du Tour entre un nombre de villes françaises et étrangères plus élevé, les organisateurs parviennent à accroître leurs recettes. Certaines modifications du parcours visent plus spécifiquement à maximiser l'audience télévisée du Tour. Ainsi, alors que l'arrivée du Tour avait lieu de 1903 à 1967 au vélodrome du Parc des Princes (le Parc a été créé en 1897 par Henri Desgrange et Victor Goddet, puis exploité par eux et, après guerre, par Jacques Goddet et Émilien Amaury), puis de 1968 à 1974 au vélodrome de Vincennes (« la Cipale »), depuis 1975 l'arrivée a lieu, sur l'initiative du journaliste Yves Mourousi, aux Champs-Élysées [Guillain, 2003]. Cette étape aux Champs-Élysées, même si elle a généralement un intérêt sportif limité, est clairement destinée à attirer les téléspectateurs par son aspect esthétique. De fait, il s'agit d'une des étapes les plus regardées, notamment hors de la France [Van Reeth, 2013].

Ainsi, le parcours du Tour est largement déterminé par le souci d'accroître son attractivité : jusqu'en 1939, il s'agit largement d'exalter le sentiment national français, puis, à partir de 1947, d'européaniser, voire de mondialiser l'intérêt pour le Tour de France. En outre, en même temps que le parcours et l'imaginaire du Tour s'européanisent, les nationalités des coureurs se diversifient. C'est ce dont témoignent d'abord les nationalités des vainqueurs du Tour : alors que les six premières éditions sont gagnées par un Français, gagnent ensuite pour la première fois un Luxembourgeois (François Faber, en 1909), un Belge (Odile Defraye en 1912), un Italien (Ottavio Bottecchia en 1924), un Suisse (Ferdi Kübler, en 1950), un Espagnol (Federico Bahamontes, en 1959), un Néerlandais (Jan Jansen, en 1968), un Américain (Greg LeMond, en 1986), un Irlandais (Stephen Roche, en 1987), un Danois (Bjarne Riis, en 1996), un Allemand (Jan Ullrich, en 1997), un Australien (Cadel Evans, en 2011) puis un Britannique (Bradley Wiggins, en 2012).

Plus largement, les nationalités des coureurs du Tour ont évolué en trois étapes (voir graphique 12). De 1903 à 1939, la part des coureurs français chute au profit d'autres coureurs d'Europe occidentale : alors qu'en 1903 90 % des coureurs engagés sont français, dès 1925 ils représentent moins de la moitié des coureurs, une bonne partie d'entre eux étant désormais belges ou italiens ; cette tendance est confirmée dans les années 1930, à la suite du remplacement des équipes de marques par des équipes nationales. Ce mouvement d'européanisation des coureurs se poursuit pendant les années 1950 et 1960, si bien qu'au milieu des années 1960 environ 75 % des coureurs sont d'Europe occidentale mais non français. Cette diversification des nationalités des coureurs semble globalement bien accueillie par le public français, comme en témoigne la popularité en France de Fausto Coppi. Cela n'empêche pas certains excès de zèle nationaliste. En 1950, Gino Bartali se croit agressé par des spectateurs qui lui reprochent, outre l'hégémonie italienne sur le Tour, d'avoir fait tomber Jean Robic ; cela amène Bartali et les équipes italiennes à abandonner la course alors que Bartali a gagné l'étape et que Fiorenzo Magni est maillot jaune, ce qui conduit les organisateurs à annuler l'étape prévue en Italie. En 1975, le maillot jaune Eddy Merckx, qui court pour gagner son sixième Tour et vient d'être lâché par Bernard Thévenet dans l'ascension du puy de Dôme, est frappé au foie par un spectateur. Merckx considère que ce sont les antidouleurs qu'il a dû prendre en conséquence de cette agression qui ont causé dans l'étape suivante la défaillance qui lui a coûté le Tour.

Un dernier mouvement, de mondialisation, celui-là, émerge à partir des années 1980 et se poursuit jusqu'à nos jours : à la suite

Graphique 12. **Nationalités des coureurs engagés dans le Tour de France (1903-2013)**

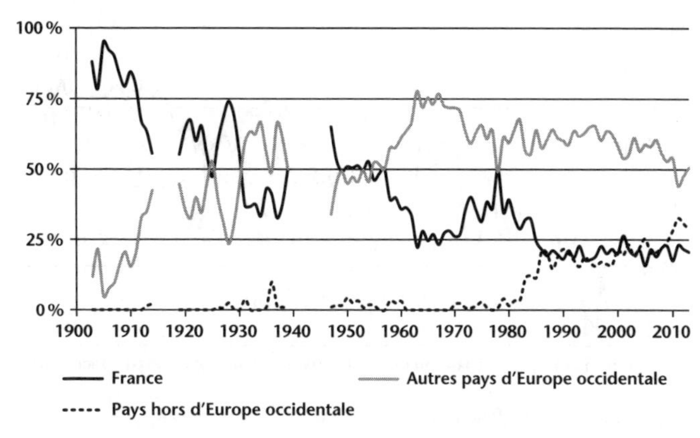

Note : les « autres pays d'Europe occidentale » sont les pays de longue tradition cycliste : Allemagne, Autriche, Belgique, Espagne, Irlande, Italie, Luxembourg, Pays-Bas, Portugal, Royaume-Uni, Suisse. En sont exclus les pays d'Europe du Nord (Danemark, Norvège, Suède, Finlande), ainsi que les pays d'Europe centrale et orientale.

Source : A.S.O. et Augendre [2013].

des formules « open » et de l'effondrement du bloc communiste, mais aussi du développement par l'Union cycliste internationale du cyclisme professionnel dans un nombre accru de pays, près d'un quart des coureurs est originaire de pays qui ne font pas partie de l'Europe occidentale. Conséquence de la diversification des nationalités des coureurs, les nationalités des médias qui suivent le Tour se diversifient. Dès 1947, une journaliste américaine suit le Tour ; en 1983, trente-deux journalistes colombiens sont présents (les quotidiens *El Tiempo* et *El Espectador* consacrent chaque jour trois pages à l'épreuve) ; et en 1990, un journaliste soviétique suit l'épreuve. Ainsi, en 1990, le Tour est suivi par 635 journalistes et 140 photographes issus de vingt-cinq pays différents, représentant 348 titres de presse et vingt chaînes de télévision [A.S.O. et Augendre, 2013].

Graphique 13. **Part d'étrangers dans les coureurs engagés dans les grands tours (1903-2013)**

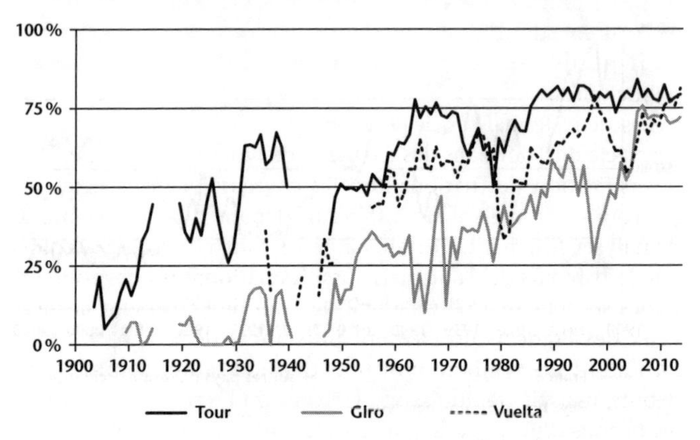

Sources : A.S.O. (<www.letour.com>),
RCS Sport (<www.gazzetta.it/Giroditalia/2014/it/index.shtml>),
Unipublic (</www.lavuelta.com/>).

Si la majorité des coureurs engagés sur le Tour sont étrangers depuis les années 1930, il n'en va de même sur la Vuelta que depuis les années 1960, et sur le Giro que depuis les années 1990 (voir graphique 13). Alors qu'un étranger a gagné le Tour dès 1909 (François Faber), il a fallu pour cela attendre 1935 sur la Vuelta (Gustaaf Deloor) et surtout 1950 sur le Giro (Hugo Koblet). De même, alors que le Tour part de l'étranger dès 1954 (Amsterdam), ce n'est le cas du Giro qu'en 1973 (Verviers), et de la Vuelta qu'en 1997 (Lisbonne). Comparé aux autres grands Tours cyclistes, le Tour de France a donc été précurseur dans le mouvement de mondialisation des coureurs et du parcours. Toutefois, la mondialisation des coureurs cyclistes reste à ce jour très partielle : il est encore exceptionnel que soient présents sur le Tour de France ou sur les autres grands Tours des coureurs d'Asie ou d'Afrique. Les raisons de cet état de fait ne sont pas évidentes. En l'absence de coureur cycliste asiatique ou africain qui soit particulièrement performant, ce qui peut être en partie dû au faible développement du cyclisme professionnel dans ces pays, les annonceurs n'ont peut-être pas intérêt à sponsoriser des coureurs dont le pays d'origine n'est pas suffisamment riche pour qu'ils puissent rentabiliser de tels investissements publicitaires.

Les deux tendances dégagées ci-dessus — le fort ancrage du spectacle du Tour dans des éléments de l'identité française, et la diversification des nationalités des coureurs et des spectateurs du Tour — se mêlent de différentes façons qu'il conviendrait d'analyser finement. Certains auteurs font remarquer qu'alors que le parcours du Tour mais aussi les nationalités des coureurs et des spectateurs se diversifient, le Tour de France devient aux yeux des Français un élément plus ancré de leur patrimoine national : un symbole non plus de modernité, comme à ses débuts, mais de tradition, un défilé devant les paysages ruraux et les terroirs d'un pays de plus en plus urbanisé [Viollet, 2007].

IV / Le spectacle du Tour de France

Le Tour de France visant à susciter l'intérêt du public le plus large, son succès dépend étroitement de son caractère spectaculaire. Comment a évolué le spectacle de la course ? N'est-il pas en partie remis en cause par les récents et récurrents scandales de dopage ?

La difficulté de l'épreuve et la performance des coureurs

Afin d'accroître le caractère spectaculaire du Tour, les organisateurs ont modulé les difficultés de la course, ce qui a conduit les coureurs à améliorer leurs performances. Pour quantifier rigoureusement l'évolution de la difficulté du Tour et de la performance des coureurs, il conviendrait de construire un indicateur qui tienne compte de plusieurs paramètres : le nombre de jours de course sans repos, la distance parcourue, la pente moyenne, la météorologie au long du parcours, etc. À défaut de disposer de telles données, nous présentons ici quatre indicateurs de difficulté du Tour et deux indicateurs de performance des coureurs.

Abordons tout d'abord la difficulté du Tour en analysant l'évolution du nombre de jours de course et de repos (voir graphique 14). Alors que les toutes premières éditions de l'épreuve comprenaient moins de dix jours de course, ce nombre

Graphique 14. **Indicateurs de difficulté du Tour de France (1) (1903-2013)**

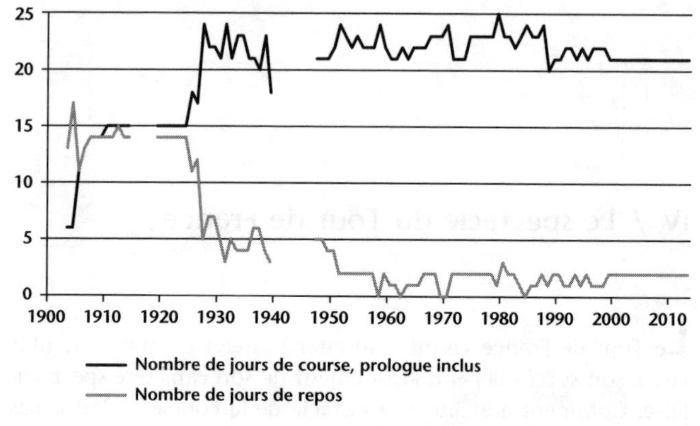

Source : A.S.O. et Augendre [2013].

croît tout d'abord entre 1910 et 1924 pour atteindre quinze jours de course, puis il croît de nouveau à partir de la seconde moitié des années 1920 pour dépasser la vingtaine de jours. En effet, en 1905, les organisateurs du Tour, soucieux d'éviter la triche et de mieux surveiller l'épreuve, organisent les étapes de jour, et non plus la nuit, ce qui requiert de réduire la longueur de chacune d'entre elles mais permet du coup d'accroître leur nombre. Depuis la fin des années 1920, le nombre de jours de course a peu varié, entre vingt et vingt-cinq. En même temps que le nombre de jours de course augmentait, le nombre de jours de repos baissait, d'environ quatorze jours jusqu'en 1924 à cinq ou moins depuis les années 1930. Depuis la Seconde Guerre mondiale, les nombres de jours de course et de repos n'ont plus beaucoup varié, aux alentours de vingt et un jours de course pour deux de repos.

Ainsi, depuis la fin des années 1920, les participants au Tour de France courent globalement un nombre de jours plus élevé et se reposent moins souvent. Cela dit, depuis les années 1920, la distance moyenne parcourue par jour de course a aussi

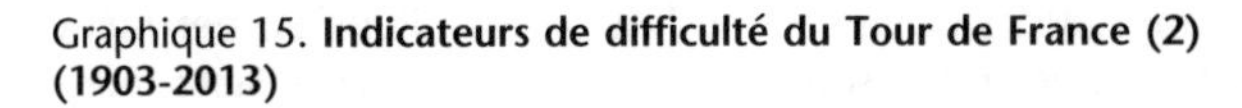

Graphique 15. **Indicateurs de difficulté du Tour de France (2) (1903-2013)**

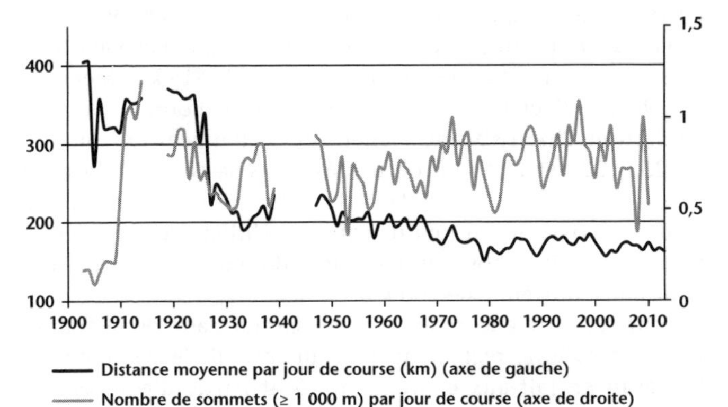

Source : A.S.O. et Augendre [2013].

fortement baissé, passant de plus de 300 kilomètres par jour jusqu'en 1926 à moins de 250 kilomètres par jour à partir de 1927, pour atteindre environ 170 kilomètres par jour dans les années 2000 (voir graphique 15).

Ces modifications majeures de la physionomie de la course semblent dériver d'ajustements qu'opèrent les organisateurs du Tour en réponse à l'évolution des médias — presse écrite, radio, télévision — par lesquels le public est informé sur l'épreuve. À l'époque où le seul relais médiatique du Tour de France est la presse écrite et plus particulièrement *L'Auto*, ce que recherchent les lecteurs, ce sont des récits épiques de courses cyclistes sur de longues distances et de longues durées. En outre, les sponsors du Tour — pour la plupart des sociétés de bicyclettes et de pneumatiques — sont soucieux que la course permette d'éprouver leur matériel et de prouver sa qualité. Dans ce cadre, chaque journée de course représente une véritable épopée : de 1903 à 1926, les coureurs parcourent en moyenne de 300 à 400 kilomètres par jour, sur une durée moyenne de 10 à 16 heures pour le plus rapide d'entre eux. On assiste alors, entre autres exploits légendaires, à des échappées au long cours : René Pottier mène en 1906 une échappée solitaire de 220 km ; François Faber mène en 1909 une échappée de 255 km sous la neige et en 1911 deux échappées respectivement de 206 km et 260 km ; Eugène Christophe mène en 1912 une échappée solitaire de 315 km. Même si, en 1947, 1977 et 1991, respectivement Albert Bourlon, Bernard Quilfen et Thierry Marie mènent des échappées en solitaire de 253, 222 et 234 km, de tels exploits se sont raréfiés, ne serait-ce qu'en raison de la forte baisse à long terme de la distance moyenne par jour de course. L'Union cycliste internationale interdit de nos jours les courses dont les étapes dépassent la distance moyenne de 200 km.

Pour accroître encore le caractère spectaculaire de la course, jusqu'en 1936 le règlement du Tour interdit le dérailleur (il l'interdit en fait aux coureurs qui font partie d'équipes, les « individuels » y ayant droit plusieurs années auparavant) et, jusqu'en 1939, il interdit aux coureurs de bénéficier de toute aide extérieure à la course, notamment pour réparer leurs machines cassées : jusqu'en 1922, les coureurs victimes d'incidents mécaniques doivent réparer eux-mêmes les éléments cassés, puis, à partir de 1923, ils peuvent dans certaines conditions remplacer eux-mêmes ces éléments par des pièces de rechange. La combinaison de ces règles rend plus difficile l'enchaînement par les coureurs de portions de plat et de côtes et les conduit à accomplir des exploits hors du commun. Ainsi Henri Cornet, victime en 1904 de crevaison, parcourt lors de la dernière étape 35 km à plat. En 1909, Henri Alavoine accomplit à pied, le vélo sur les épaules, les dix derniers kilomètres de la dernière étape. En 1913, Eugène Christophe, après avoir cassé la fourche de son vélo (renversé par une voiture dans la descente du col du Tourmalet) et avoir parcouru 14 km à pied, répare en quatre heures et sans aide son vélo chez un forgeron de Sainte-Marie-de-Campan, ce dont témoigne, sur place, une plaque commémorative. En 1928, Nicolas Frantz, qui a cassé sa bicyclette, parvient à sauver sa première place au classement général en parcourant les cent derniers kilomètres de l'étape Metz-Charleville sur un vélo féminin. En outre, pour que *L'Auto* puisse relater chaque étape dès le lendemain, il est nécessaire que la journée de course se termine au plus tard dans l'après-midi ; c'est pourquoi le départ est alors donné la veille au soir ou bien le matin aux aurores. C'est en conséquence de la longueur des étapes, aussi bien en termes kilométriques qu'en durée, et de ces horaires atypiques que, jusqu'en 1926, le Tour s'effectue sur un nombre de jours de course relativement faible et un nombre de jours de repos relativement élevé.

À partir de la seconde moitié des années 1920, lorsque la radio devient à son tour un relais médiatique majeur du Tour de France, l'intérêt des auditeurs se porte sur les arrivées d'étape en direct. L'organisation du Tour est alors modifiée sur deux points. D'une part, le temps d'antenne radio étant relativement rare, en ce sens que les radios ne sont prêtes à diffuser un spectacle que s'il attire plus d'auditeurs que les programmes alternatifs, il n'est plus nécessaire de conserver des journées de course aussi longues qu'auparavant : alors qu'en 1926 encore les coureurs parcourent en moyenne plus de 335 kilomètres par jour de course, sur une durée moyenne de plus de 14 heures pour le plus rapide d'entre eux, dès 1927 et jusqu'en 1939, cette distance parcourue par les coureurs baisse de plus de 100 kilomètres par jour, si bien que le plus rapide d'entre eux ne passe plus « que » 6 à 9 heures sur son vélo par jour. D'autre part, pour que l'arrivée d'étape intervienne en fin d'après-midi, au pic d'audience radiophonique, il convient de retarder l'horaire de départ de la course : les coureurs ne partent plus la veille de l'arrivée ou aux aurores, mais en début de matinée. À partir de 1933, cet horaire de départ est encore reculé afin de reculer l'horaire d'arrivée, ce qui rend plus difficile pour *Paris Soir* de rendre compte de l'étape avant *L'Auto*, qui ne paraît que le lendemain matin. Les étapes se raccourcissant par rapport à la période précédente, il est possible pour les organisateurs d'accroître le nombre de jours de course et de réduire le nombre de jours de repos.

Au fur et à mesure que, dans la seconde moitié du XXe siècle, le relais médiatique majeur du Tour devient la télévision, l'intérêt des téléspectateurs se porte lui aussi sur les arrivées d'étape en direct. Or, comme le temps d'antenne télévisée est encore plus rare que celui de la radio — les chaînes télévisées sont initialement peu nombreuses puis, lorsqu'elles deviennent plus nombreuses, elles sont soumises à la concurrence et ne sont donc prêtes à diffuser un spectacle que s'il attire plus de téléspectateurs que les programmes alternatifs —, il devient de moins en moins utile d'organiser des étapes de longue durée. Alors qu'en 1947 le vainqueur du Tour passe en moyenne plus de 7 heures sur son vélo par jour de course, dans les années 2000 il n'en passe qu'à peine plus de 4 heures. Et pour que l'arrivée d'étape intervienne en fin d'après-midi, au pic d'audience, il convient de retarder encore l'horaire de départ de la course vers le début d'après-midi.

La modification du parcours du Tour qui a eu le plus d'impact sur son caractère spectaculaire, et notamment sur le nombre de spectateurs au bord des routes, est sans doute l'introduction d'étapes de montagne. Le Tour franchit pour la première fois les Pyrénées, notamment le Tourmalet, en 1910. Arrivé au sommet de l'Aubisque qu'il a gravi à pied, Octave Lapize crie aux organisateurs : « Vous êtes des assassins ! Oui, des assassins ! » [Chany et Cazeneuve, 2003]. Puis le Tour enchaîne pour la première fois les Alpes, notamment le Galibier, et les Pyrénées en 1911. À cette occasion, dans son éditorial intitulé « Acte d'adoration », Desgrange écrit : « Ô Sappey ! Ô Laffrey ! Ô col Bayard ! Ô Tourmalet ! Je ne faillirai pas à mon devoir en proclamant qu'à côté du Galibier, vous êtes de la pâle et vulgaire "bibine" : devant ce géant, il n'y a plus qu'à tirer son bonnet et à saluer bien bas » [Chany et Cazeneuve, 2003]. S'il est difficile d'estimer l'inclinaison moyenne du parcours du Tour, le nombre de sommets de plus de 1 000 mètres franchis par jour de course ne semble pas avoir subi d'évolution majeure depuis les années 1920 (voir graphique 15) (Boury [1997, p. 158, p. 167 et p. 278] propose une autre évaluation quantitative des difficultés de montagne du Tour, incluant les franchissements des grands cols des Pyrénées et des Alpes et leurs altitudes de 1910 à 1951).

Face à ces évolutions de la difficulté du Tour de France, les performances des coureurs se sont globalement améliorées (voir graphique 16). D'une part, le taux d'abandon des coureurs, c'est-à-dire la part des coureurs engagés qui ne finissent pas le Tour, a très fortement baissé : il est passé des alentours de 70 % jusqu'en

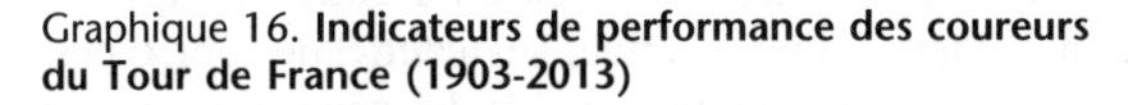
Graphique 16. **Indicateurs de performance des coureurs du Tour de France (1903-2013)**

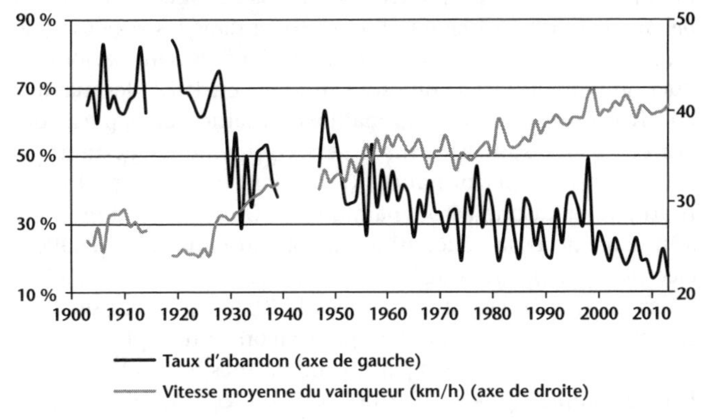

Source : A.S.O. et Augendre [2013].

1928 à environ 40 % dans les années 1930, pour atteindre environ 20 % dans les années 2000. La forte baisse de cet indicateur peut en outre sembler sous-estimée : depuis que la saison cycliste est remplie, certains coureurs en méforme lors du Tour sont tentés d'abandonner afin de se concentrer sur les courses suivantes ; et depuis que certains coureurs sont spécialisés dans les victoires d'étape au sprint, ils tendent à abandonner le Tour lorsque leurs étapes favorites sont passées et qu'ils n'ont plus grand-chose à espérer de l'épreuve. Par exemple, Mario Cipollini qui, dans les années 1990 et 2000, prend le départ du Tour huit fois, remporte douze étapes et porte le maillot jaune pendant six jours, n'a jamais fini la course : il s'est spécialisé dans les victoires d'étape de plat et refuse de s'épuiser à traverser les étapes de montagne. D'autre part, la vitesse moyenne du vainqueur est passée d'environ 25-30 km/h jusqu'aux années 1920 à 40 km/h ou plus pendant les années 2000.

Ces améliorations de la performance des coureurs sont sans doute dues à plusieurs facteurs, outre le perfectionnement du dopage sur lequel nous revenons ci-dessous. La qualité des routes s'est améliorée, notamment grâce au goudronnage des chemins de montagne en terre battue. Le matériel de course s'est lui aussi amélioré : à long terme, le poids des vélos a fortement baissé, d'environ 13 kg en 1903 et 10 kg dans les années 1920 à environ 7 kg de nos jours [Seray, 2003], en passant par l'introduction par Luis Ocaña du cadre en titane en 1973 ; les maillots en Nylon ont remplacé les maillots en laine ; et, à partir des années 1980, sont apparus divers équipements permettant d'optimiser les performances (roues lenticulaires, guidon de triathlète et casque aérodynamique de Greg LeMond en 1989 afin d'améliorer la pénétration du coureur dans l'air, dérailleur électrique, etc.), ainsi que les oreillettes reliant les coureurs à leur directeur sportif. Depuis les années 1970, le règlement du Tour semble aussi avoir été modifié pour favoriser non plus tant les actes légendaires analysés par Roland Barthes dans « Le Tour de France comme épopée » [Barthes, 1957] — ces exploits qui font des coureurs des modèles de virilité et d'héroïsme, des « géants de la route » (l'expression apparaît dans *L'Auto* en 1908) —, mais des performances chronométriques d'équipe. Les records des étapes les plus rapides de l'histoire du Tour sont tous récents : pour le contre-la-montre individuel, c'est 1989 (54,5 km/h de moyenne sur les 24,5 km entre Versailles et Paris), pour le prologue, c'est 1994 (55,1 km/h sur les 7,2 km entre Lille et Euralille), pour l'étape en ligne, c'est 1999 (50,3 km/h sur les 194,5 km entre Laval et Blois) et pour le contre-la-montre par équipe, c'est 2005 (57,3 km/h sur les 67,5 km entre Tours et Blois). En effet, à partir de 1968, le règlement autorise le ravitaillement en course par les directeurs sportifs, et non plus seulement par les organisateurs. Au final, le spectacle du Tour offre à voir dans les années 2000 moins de souffrance et d'héroïsme mais plus d'efficience et de performance que dans les années 1900 : les organisateurs du Tour, qui ont initialement conçu l'épreuve pour qu'elle soit lue, l'ont modifiée afin qu'elle soit vue.

Enfin — c'est peut-être là le point central —, le cyclisme s'est professionnalisé. On assiste en fait, depuis le début du XXe siècle, à une quadruple spécialisation. Premièrement, les cyclistes amateurs qui connaissent le plus grand succès semblent se spécialiser plus précocement : plutôt que de pratiquer cette activité de pair avec d'autres emplois aux rémunérations plus aisément prévisibles, certains peuvent désormais se consacrer très largement à ce seul métier. Ainsi, des années 1960 aux années 2000, l'âge à l'entrée dans la compétition cycliste s'est fortement abaissé, de 17 à 13 ans environ [Lefèvre, 2007, p. 300]. Deuxièmement, une fois entrés dans la carrière, les cyclistes professionnels disposent d'outils de plus en plus sophistiqués d'optimisation de leur préparation sportive. Si, dès les années 1940, Fausto Coppi introduit une approche scientifique de la préparation physique (nutrition, entraînement, etc.), ce n'est qu'à partir des années 1980 que les connaissances en biomécanique du pédalage, en aérodynamisme et en ergonomie du matériel se développent [Brissonneau *et al.*, 2008]. Troisièmement, depuis au moins les années 1970, les coureurs se spécialisent de plus en plus fortement dans certains rôles (rouleur, sprinter, grimpeur, simple coéquipier, etc.) au sein de leur équipe. En effet, la hausse des inégalités de performance entre coureurs du Tour depuis les années 1970 est entièrement due à la hausse des inégalités de performance *au sein* des équipes et non pas *entre* équipes, ce qui signifie que les coéquipiers aident de plus en plus leur leader d'équipe, afin d'accroître sa visibilité médiatique et ses gains, qui sont ensuite redistribués [Candelon et Dupuy, 2010]. Quatrièmement, sans doute depuis les années 1990, les leaders d'équipe semblent se spécialiser de plus en plus dans certaines courses du calendrier annuel : certains se spécialisent dans les classiques, et d'autres dans les grands Tours (Tour de France, Giro d'Italia, Vuelta a España). Le nombre de doublés (victoire de deux des trois grands Tours par le même champion la même année) est passé de cinq dans la décennie 1970 à trois dans les décennies 1980 et 1990 et un seul dans les années 2000. Alors qu'Anquetil, Merckx et Hinault enchaînaient les courses, depuis LeMond et Indurain le choix privilégié par les grands leaders d'équipe semble celui de la concentration sur un nombre de courses réduit, ce qui ne peut qu'améliorer leurs performances, puisque celles-ci ne sont mesurées que sur les courses qu'ils courent effectivement. Ces deux dernières tendances sont peut-être liées à l'évolution des

L'évolution des performances des coureurs cyclistes : comparaisons internationales

Les observations réalisées à propos des performances des coureurs cyclistes sur le Tour de France sont aussi valides à propos des autres grands Tours. Dans ces courses, le taux d'abandon des coureurs est passé, en un siècle, d'environ deux tiers à environ un cinquième et la vitesse moyenne du vainqueur est passée d'environ 25 à environ 40 km/h. En effet, outre que l'Italie et l'Espagne, comme

Graphique 17. **Taux d'abandon dans les grands Tours, 1903-2013**

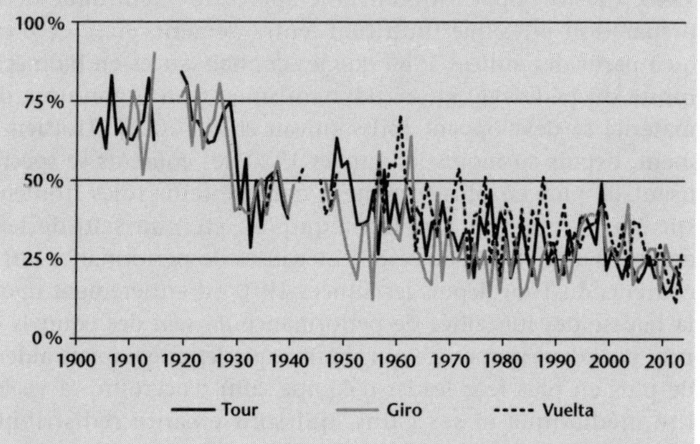

Sources : A.S.O. (<www.letour.com>), RCS Sport (<www.gazzetta.it/Giroditalia/2014/it/>), Unipublic (<www.lavuelta.com/>).

primes du Tour (voir graphiques 7 et 8), puisque la hausse des gains du vainqueur incite les coureurs à se spécialiser au sein de leurs équipes et au sein de la saison afin de remporter des titres aux dotations accrues.

Le caractère spectaculaire de la course

Les organisateurs du Tour ont instauré plusieurs dispositifs visant à accroître le degré de concurrence entre coureurs et la France, se sont modernisées — la qualité de leurs routes et du matériel de leurs coureurs s'est améliorée —, le Giro et la Vuelta ont modifié leur règlement dans le même sens que le Tour. Alors que le dérailleur est inventé dès les années 1890, les grands Tours, qui craignent qu'il réduise le caractère épique de la course, ne l'autorisent qu'à partir des années 1930. De même, jusqu'aux années 1930, les grands Tours contraignent les coureurs à réparer eux-mêmes leur matériel cassé, plutôt qu'à le remplacer par du matériel neuf. Dans ce contexte, on comprend que les évolutions des trois grands Tours soient largement les mêmes.

Graphique 18. **Vitesse moyenne du vainqueur (km/h) dans les grands Tours, 1903-2013**

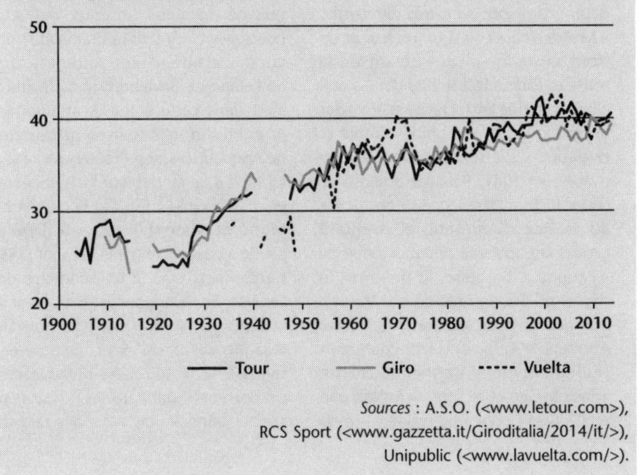

Sources : A.S.O. (<www.letour.com>), RCS Sport (<www.gazzetta.it/Giroditalia/2014/it/>), Unipublic (<www.lavuelta.com/>).

l'incitation à s'échapper, plutôt qu'à rester dans le peloton « à l'abri du vent » [Chany et Cazeneuve, 2003 ; McGann et McGann, 2006, 2008]. Suite aux victoires d'étape et à la première place du classement général, symbolisée à partir de l'entre-deux-guerres par un maillot jaune (1919), les organisateurs créent les bonifications pour les victoires d'étape (1923) puis en haut des cols (1934), le classement du meilleur grimpeur (1933, qui en 1975 devient maillot à pois), le prix de la (super-)combativité (1952, précédé en 1925 d'une prime de « bonne conduite » pour chacun des deux coureurs qui ont le

Êtes-vous pour Anquetil ou Poulidor ? Les raisons de la passion suscitée par le Tour de France 1964

Le Tour de France 1964, qui voit s'affronter les deux meilleurs coureurs français de l'époque, Jacques Anquetil et Raymond Poulidor, atteint une intensité émotionnelle rare. En effet, les deux champions sont très différents : « Maître Jacques » est un rouleur et un froid stratège — un « gérant de la route », écrit Antoine Blondin — aux allures presque aristocratiques, Poulidor un grimpeur et un homme simple et chaleureux. Ils sont de longue date rivaux : en 1961, Poulidor a refusé de courir le Tour plutôt que de se mettre au service d'Anquetil, et Anquetil jalouse la popularité selon lui indue de « Poupou ». En outre, ils prennent le départ du Tour au pic de leur forme : Poulidor vient de remporter la Vuelta, Anquetil le Giro. Anquetil court non seulement pour gagner la même année le Giro et le Tour — exploit que seul Fausto Coppi a pu réaliser — mais aussi pour gagner le Tour une cinquième fois, un exploit qu'il serait le premier champion à réaliser. Le déroulement de la course rend de surcroît son issue fort indécise : dans les premières étapes de l'épreuve, plusieurs retournements de situation, notamment à la suite d'étourderies et de coups de malchance de Poulidor (crevaison, accident provoqué par une maladresse de son équipe technique, etc.), permettent à Anquetil de creuser puis de maintenir un écart avec son poursuivant. L'intensité dramatique de la course atteint des sommets lors de l'étape de Brive au puy de Dôme : c'est dans cette étape de montagne que Poulidor, meilleur grimpeur qu'Anquetil, peut espérer reprendre sur lui les 56 secondes qui lui suffiraient pour gagner le Tour. Les deux champions gravissent le puy de Dôme coude à coude : Anquetil fait tout pour s'accrocher, puis, à un kilomètre de l'arrivée, Poulidor parvient finalement à le lâcher... mais trop tard pour pouvoir regagner sur lui les 56 secondes nécessaires à la victoire. Au-delà de ces circonstances particulières, l'historien Michel Winock voit aussi des raisons

plus animé une étape), le maillot vert du classement par points (1953, pour le cinquantenaire du Tour), le maillot du combiné (1968) et le maillot blanc du meilleur jeune (1975). Parallèlement, dans certains Tours, notamment en 1939 (à partir de la 2e étape), 1948 (de la 3e à la 18e étape) et 1980 (de la 14e à la 20e étape), le dernier coureur au classement général à chaque étape est éliminé, ce qui incite à l'effort en fin de classement. Si ces maillots et les dotations afférentes sont destinés à accroître les incitations des coureurs à « attaquer », d'autres, qui pullulent dans les années 1970, sont plus directement destinés à multiplier les sponsors du Tour : il s'agit des prix d'élégance, du travail d'équipe, de la bonne humeur, de l'étape la plus rapide, etc. Le plus profondes à la passion suscitée par la rivalité entre Anquetil et Poulidor et à la préférence des Français pour le second — « l'éternel second » — sur le premier, au palmarès pourtant plus retentissant. Elles refléteraient en partie les transformations sociales que connaît la France des années 1960 [Winock, 1987, p. 138-142] :

« Derrière ces deux stéréotypes, le public sent confusément que deux univers s'opposent, comme la modernité et l'archaïsme. L'un et l'autre coureur sont issus d'un milieu rural, mais ils n'évoluent pas dans la même civilisation agraire. Anquetil est représentatif d'une agriculture moderne. Il achète 200 hectares qu'il va administrer en chef d'entreprise. Poulidor compare lui-même les vaches grasses de Normandie aux vaches maigres de sa Creuse natale, "celles qu'on attelle à la charrue, aux lourds charrois arrachant le bois des gorges et des ravins. Alors forcément la production laitière s'en ressent". Poulidor est la figure du "paysan résigné", qui ne se fait pas d'illusion, parce qu'il rencontre chaque jour l'adversité du sol, du climat, de la pauvreté séculaire. La malchance, il est armé contre elle : il connaît les gelées tardives qui ont raison des blés prometteurs. Anquetil est le symbole d'une économie de marché, spéculative, entreprenante. Il boit du whisky ; il se déplace en avion. Dans le Tour comme dans la vie, c'est un patron.

Ce goût des Français en faveur de "Poupou", c'est un attendrissement nostalgique pour la société rurale dont ils émergent en ces années de mutation rapide. L'univers anquetilien représente un avenir froid qu'ils redoutent. Du reste, la grande spécialité du Normand est la course contre la montre : la tyrannie des aiguilles est celle du monde industriel ; le Limousin, lui, est bien dans la montagne, c'est l'homme de la nature : il adapte ses journées aux mouvements saisonniers du soleil. Il éclate de santé. Les admirateurs de Poulidor savent bien qu'Anquetil est le plus fort, mais le fond de sa supériorité les glace ; ils y sentent l'artifice, la planification, la prépondérance technologique... »

caractère spectaculaire de la course est aussi amélioré par l'introduction d'étapes de types particuliers. Le Tour introduit en 1934 le contre-la-montre individuel, un format de course dans lequel les coureurs effectuent un parcours chronométré *chacun leur tour*. Cette épreuve esthétique et spectaculaire vise alors à contrer la concurrence du Grand Prix des Nations, lancé par *Paris Soir* en 1932. Puis, en 1967, le Tour introduit le « prologue », un contre-la-montre individuel très court, inférieur à 8 km, qui précède le départ réel de la course et qui a pour avantage d'être très télégénique.

La mythologie du Tour, quant à elle, est faite d'événements marquants. Parmi ces faits de gloire, surprises, abandons et autres drames se trouvent les décès sur chute de Francesco Cepeda (1935, dans la descente du Galibier) et Fabio Casartelli (1995, dans la descente du col de Portet-d'Aspet), ainsi que celui de Tom Simpson en 1967 : les amphétamines qu'il a prises, combinées à la chaleur écrasante, l'ont conduit à un décès par épuisement. Restent aussi dans les mémoires la rivalité Anquetil-Poulidor en 1964, le cumul des trois maillots, du prix de la super-combativité et du classement par équipe par Eddy Merckx en 1969, le refus de Merckx de porter le maillot jaune en 1971 à la suite de l'abandon sur chute de Luis Ocaña, la victoire de Greg LeMond avec 8 secondes d'avance sur Laurent Fignon en 1989, les victoires consécutives de Miguel Indurain et de Lance Armstrong, etc. Même s'il n'est pas aisé de quantifier le caractère spectaculaire du Tour, et encore moins sa mythologie, nous proposons deux indicateurs d'indécision de la course, c'est-à-dire de difficulté à départager les coureurs les mieux placés : il s'agit d'une part du nombre de fois où le maillot jaune a changé d'épaules par jour de course, lissé sur cinq années (sans quoi les variations d'une année à l'autre rendent le graphique trop difficile à lire), d'autre part de l'écart final entre le vainqueur du Tour et son dauphin, sachant que l'écart entre le vainqueur et le troisième montre la même évolution sur long terme.

Le nombre de fois où le maillot jaune a changé d'épaules au cours de chaque épreuve ne connaît pas d'évolution évidente de long terme et il ne permet pas de confirmer le sentiment général selon lequel les Tours de la seconde moitié des années 1920 auraient été particulièrement « écrasés » par certaines équipes (voir graphique 19). D'autres indicateurs, notamment de performances *par équipe*, permettraient sans doute de mieux mettre en valeur le manque d'indécision de ces Tours : Alcyon-Dunlop gagne en 1927, occupe les trois premières places du podium final en 1928 et gagne encore en 1929 [Andreff, 2013]. Il apparaît toutefois que la période pendant laquelle le maillot jaune semble avoir été le plus âprement contesté se situe au milieu des années 1950, en l'absence d'équipes de marques. Quant à l'écart entre le vainqueur du Tour et le dauphin, il n'est pas rare, jusqu'aux années 1920, qu'il soit d'une heure ou plus :

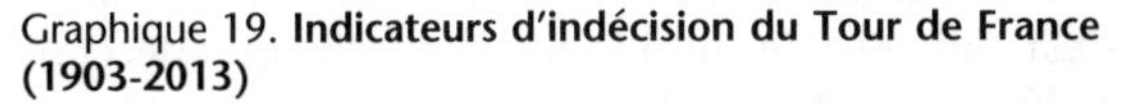

Graphique 19. **Indicateurs d'indécision du Tour de France (1903-2013)**

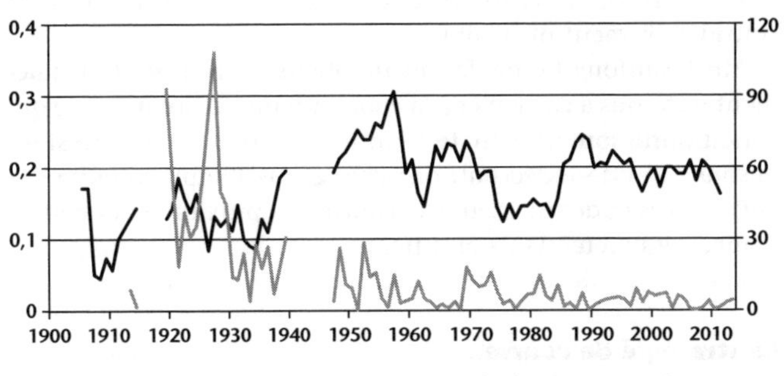

—— Nombre de fois où le maillot jaune a changé d'épaules par jour de course (moyenne mobile sur 5 ans) (axe de gauche)

—— Écart entre vainqueur et 2ᵉ (minutes) (axe de droite)

Note : le classement du Tour de France s'étant effectué de 1905 à 1912 par points, et non pas au temps, pour ces années les données d'écart entre le vainqueur et le 2ᵉ sont inexistantes.

Source : A.S.O. et Augendre [2013].

en l'absence de toute aide extérieure, les incidents creusent des écarts considérables, ce qui explique en partie que la course ne nécessite pas de photo-finish aux arrivées avant 1954. Depuis lors, la tendance a été à la réduction des écarts entre le vainqueur et ses poursuivants, si bien que de nos jours ils se comptent au plus en quelques minutes sur une centaine d'heures de course. De si faibles écarts relatifs peuvent d'ailleurs contribuer à expliquer l'intérêt qu'a chaque coureur à recourir à des produits dopants : il suffirait aujourd'hui que ces produits soient *à peine* efficaces pour qu'un coureur gagne quelques précieuses places de classement… On observe de nouveau ici l'évolution du spectacle du Tour : alors qu'au début du XXᵉ siècle il tire son indécision et donc son intérêt sportif du fait que n'importe quel coureur peut perdre plusieurs heures en une étape, au début du XXIᵉ siècle il tire en bonne partie son indécision du fait que les tout meilleurs coureurs se tiennent dans un « mouchoir de poche » : la fréquence à laquelle le maillot jaune change d'épaules est plus élevée de nos jours que ce qu'elle était jusqu'en 1939, et l'écart entre le vainqueur et son dauphin est considérablement plus faible.

Ainsi, sur long terme, les organisateurs du Tour sont globalement parvenus à conserver à la course un intérêt sportif — ce qui conditionne son attractivité [Van Reeth, 2013] —, même si les raisons de cette indécision ont changé, de l'imprévisibilité des défaillances et des incidents de course à la proximité des performances des prétendants au titre.

La stratégie de course

Il existe plusieurs façons d'aimer le spectacle du Tour : on peut apprécier les paysages traversés et les références à la géographie et à l'histoire de la France, le déploiement de force, d'endurance et de résistance à la douleur dont font preuve les coureurs, mais aussi la dimension stratégique de la course. L'importance de la stratégie dans les courses cyclistes est reconnue dès 1894 dans l'ouvrage d'Henri Desgrange *La Tête et les Jambes* et elle est unanimement admise par les spécialistes [Chany et Penot, 1997], notamment les anglophones, qui décrivent volontiers le cyclisme comme « une partie d'échecs sur roues » (*chess on wheels*). Ainsi, lorsqu'en 1948 le directeur technique de l'équipe italienne Alfredo Binda déclare : « Si j'avais dirigé Bobet, il aurait gagné le Tour », on peut contester qu'il ait effectivement raison, mais il est clair que des choix stratégiques différents *peuvent* faire gagner ou perdre le Tour à un coureur. Par « stratégies », nous n'entendons pas ici des ruses de course comme celle de Jacques Anquetil qui, au cours de l'étape Val d'Isère-Chamonix du Tour 1963, simule un incident mécanique afin de changer son vélo contre une bicyclette plus légère pour monter la Forclaz. Au sens de la théorie des jeux — ou théorie des décisions interdépendantes —, une stratégie est une décision que prend un coureur en anticipant les décisions des autres coureurs.

Lorsqu'un cycliste avance à une certaine vitesse, il est ralenti par la résistance de l'air. C'est pourquoi, pour limiter ses efforts, un coureur a intérêt à rester à l'abri du vent et à prendre l'aspiration du coureur qui le précède — c'est aussi la raison pour laquelle les coéquipiers d'un coureur peuvent l'entourer et le précéder afin de lui épargner autant d'effort que possible. En conséquence, deux coureurs peuvent coopérer pour leur plus grand avantage en se protégeant mutuellement du vent. Cela est particulièrement précieux lorsque les coureurs roulent à grande vitesse, notamment sur plat et en cas de vent arrière ou avant, puisque s'abriter derrière un autre coureur permet alors d'épargner jusqu'à 40 % de l'énergie dépensée pour atteindre une vitesse donnée. En conséquence, un coureur peut battre un coureur plus fort que lui, s'il a su conserver plus d'énergie pour la dépenser au moment le plus opportun. Dans ce cadre, où chaque coureur et/ou équipe a intérêt à optimiser sa dépense d'énergie, plusieurs questions se posent. Quand un coureur doit-il tenter de s'échapper du peloton ? Quand le peloton doit-il tenter de le rattraper ? Au sein d'un groupe échappé, dans quelle mesure un coureur doit-il coopérer, c'est-à-dire contribuer ou non à protéger ses coéchappés du vent ? Et une fois l'échappée parvenue aux abords de la ligne d'arrivée, quand un coureur doit-il lancer son sprint ? La course cycliste expose les coureurs et, depuis l'apparition des oreillettes dans les années 1990, leurs directeurs sportifs à de nombreuses situations de choix, où leur sens stratégique peut être mis à profit. Ces considérations ont en outre une dimension historique majeure puisque, comme la résistance de l'air est plus forte à grande vitesse, l'augmentation de la vitesse des coureurs au fil du temps (voir graphique 16) n'a fait qu'accroître l'influence de la coopération et de la stratégie sur les performances des coureurs. Ces considérations stratégiques sont aussi devenues particulièrement utiles depuis que les écarts de performance entre coureurs se sont fortement réduits (voir graphique 19).

Quand un coureur doit-il s'échapper ? Au cours d'une étape, chaque coureur a deux options. D'une part, il peut rester au sein du peloton pendant l'étape et espérer gagner l'étape au sprint. Cette stratégie a pour avantage que, protégé du vent au sein du peloton, le coureur épargne son énergie pour le sprint final, mais elle a pour inconvénient qu'au sprint il devra battre tous les meilleurs sprinters du peloton. Il s'agit donc là l'une stratégie de sprinter. D'autre part, un coureur peut provoquer ou rejoindre une échappée et espérer gagner l'étape au sein de cette échappée. Cette stratégie a pour avantage qu'à la fin de l'étape le coureur ne devra pas battre tous les autres coureurs mais seulement les échappés, mais elle a pour inconvénient que, pour s'échapper, ce qui requiert un effort intense et brusque, puis pour faire perdurer l'échappée au sein d'un petit groupe dans lequel peu de coureurs peuvent se protéger du vent, le coureur doit dépenser beaucoup d'énergie. Il s'agit donc là d'une stratégie de rouleur ou de grimpeur, selon que l'étape se déroule sur plat ou en montagne. Quoi qu'il en soit, si elle veut pouvoir triompher, l'échappée ou la contre-attaque doit débuter au moment optimal, c'est-à-dire suffisamment tard dans la course pour que la plus grande résistance de l'air à laquelle font face les échappés ne les désavantage pas trop par rapport au peloton, mais suffisamment tôt dans la course pour pouvoir avoir le temps de prendre assez d'avance sur le peloton pour que ce dernier ne puisse pas combler son retard.

Quand le peloton doit-il rattraper les échappés ? Si un groupe de coureurs s'est échappé, les équipes dont le leader est un sprinter — qui cherchent à rattraper les échappés afin que leur leader puisse courir et gagner le sprint final — espèrent rattraper leur retard sur l'échappée, mais là encore elles doivent le faire au moment optimal, c'est-à-dire suffisamment tard dans la course pour ne pas s'exposer à des contre-attaques de rouleurs (c'est-à-dire à de nouvelles échappées une fois que la première a été rattrapée), mais suffisamment tôt dans la course pour ne pas risquer que l'échappée remporte l'étape. Pour déterminer la vitesse à laquelle elles doivent rouler sur chaque portion d'étape, ces équipes de sprinters disposent notamment du « théorème de Chapatte » — la régularité empirique selon laquelle, dans une étape de plat d'une course cycliste sur route, un peloton peut reprendre à un coureur échappé en solitaire environ une minute tous les dix kilomètres.

Dans quelle mesure un coureur doit-il coopérer au sein de l'échappée ? Lorsque deux coureurs d'équipes différentes et visant chacun la victoire d'étape se retrouvent, à quelques kilomètres de l'arrivée, dans une échappée poursuivie de près par le peloton, ils se trouvent dans une situation de « dilemme du prisonnier » [Eber, 2006]. Chaque coureur sait effectivement que, pour ne pas être rattrapés par le peloton, ils doivent tous les deux « rouler », c'est-à-dire alterner l'un juste devant l'autre afin de se faire profiter mutuellement de leur aspiration et, dans cette situation, donner alternativement toutes leurs forces pour résister collectivement au retour du peloton, qui peut aller beaucoup plus vite du fait que la part de ses membres qui profitent de l'aspiration d'un autre coureur est beaucoup plus élevée et qu'ils sont donc généralement plus nombreux à se relayer en tête. Mais chaque coureur sait aussi que l'autre coureur échappé a intérêt à ne pas donner toutes ses forces pour résister au retour du peloton, afin d'être celui des deux qui, à l'arrivée, aura conservé le plus d'énergie et remportera donc l'étape. Dans une telle situation, chaque coureur sachant que l'autre risque de ne pas donner toutes ses forces pour éviter le retour du peloton, chacun essaie d'en « garder sous la pédale » plus que son coéchappé, ce qui les conduit à ralentir par rapport au peloton, ce qui tend à faire échouer leur échappée. C'est à quelques mètres de l'arrivée que le caractère stratégique de l'interaction est le plus intense : chaque coureur préférant débuter le sprint final en dernier, puisque cela lui permettrait de profiter de l'aspiration de l'autre, les coureurs « s'observent » et cherchent à amener leur concurrent à lancer le sprint, ce qui les conduit à ralentir considérablement, jusqu'à parfois être rattrapés par le peloton.

Si, malgré le problème de coopération au sein des échappées, certaines d'entre elles remportent des succès, c'est notamment parce que les différentes équipes du peloton peuvent elles aussi faire face à un problème de coopération lorsque au moins l'une d'entre elles doit chasser l'échappée, c'est-à-dire user l'énergie de plusieurs de ses coureurs afin d'imprimer au peloton la vitesse nécessaire pour rattraper en temps voulu les échappés. En effet, si une équipe est réputée meilleure que les autres au sprint, aucune autre qu'elle n'acceptera de dépenser son énergie afin de l'amener à la victoire d'étape : soit c'est elle qui chassera l'échappée, soit aucune équipe ne le fera. Mais si l'équipe qui est la meilleure au sprint n'est pas suffisamment bonne pour que son espérance de gain (probabilité de rattraper l'échappée × probabilité de gagner au sprint × prime de l'étape – coût de la chasse à l'échappée) soit positive, aucune équipe n'aura intérêt à chasser l'échappée. Par contraste, si aucune équipe n'est réputée meilleure que les autres au sprint, les équipes pourront avoir intérêt, dans une certaine mesure, à coopérer afin de rattraper l'échappée et de s'offrir une chance de gagner l'étape.

Les coureurs du Tour peuvent aussi bluffer afin de conduire leur adversaire à prendre de mauvaises décisions. Un coureur peut faire croire qu'il est dans un bon jour alors que c'est l'opposé qui est vrai. C'est le cas de Jacques Anquetil sur l'étape de Brive au puy de Dôme du Tour 1964, lorsqu'il choisit de ne pas prendre la roue de Raymond Poulidor mais de rouler à ses côtés, pour lui faire croire qu'il n'a pas besoin de prendre son aspiration tant il est fort. En réalité, Anquetil bluffe pour que Poulidor n'attaque pas trop tôt et ne gagne donc pas trop de temps sur lui. À l'inverse, un coureur peut faire croire qu'il est dans un mauvais jour alors que c'est le contraire qui est vrai. C'est le cas de Lance Armstrong sur l'étape d'Aix-les-Bains à l'Alpe-d'Huez du Tour 2001, lorsqu'il grimace, reste en queue de peloton et donne l'impression de subir une défaillance. En réalité, il a pour objectif que Jan Ullrich fasse inutilement travailler son équipe, avant de l'attaquer, ce qu'il fait brillamment. Aucun coureur ne peut toutefois bluffer trop fréquemment, sans quoi il cesse d'être crédible.

Le dopage

Le dopage a pu à la fois améliorer la performance des coureurs et porter atteinte au spectacle du Tour, particulièrement depuis les années 1990. Rappelons que les pratiques de dopage, destinées à améliorer les performances des coureurs et à réduire les sensations de douleur, datent des débuts du Tour. C'est ce dont témoigne par exemple le célèbre article publié par Albert

Londres dans *Le Petit Parisien* le 27 juillet 1924, ultérieurement publié sous le titre « Les forçats de la route » [Londres, 2009].

S'il est difficile de connaître avec précision l'évolution des pratiques de dopage, tout porte à croire qu'elles sont depuis longtemps extrêmement répandues [Woodland, 2003]. Selon Marcel Bidot, le directeur de l'équipe de France d'après guerre, environ 75 % des coureurs faisaient usage de drogues dans les années 1950. Si, dès l'entre-deux-guerres, les coureurs consomment cocaïne et morphine, à partir des années 1950 apparaissent les amphétamines (ce sont elles qui contribuent, les jours de grande chaleur, à déshydrater les coureurs) et à partir des années 1970 les stéroïdes puis les corticoïdes, dont la cortisone. Cet usage de drogues est tacitement autorisé jusqu'au milieu des années 1960. Ainsi, lorsqu'en 1962 et 1965 les abandons de quatre coureurs de l'équipe Wiel puis de plusieurs autres coureurs suscitent les suspicions des journalistes, les coureurs sont scandalisés que leur prise de drogues soit mise sur la place publique. C'est la loi antidopage de 1965, adoptée à la suite des drames de l'année 1960 — l'accident de Roger Rivière sur le Tour provoqué par sa prise d'amphétamines et d'anti-douleurs, et le décès du Danois Knut Jensen lors du contre-la-montre olympique sur route en raison de son dopage —, qui interdit l'usage de stimulants dangereux pour la santé et modifie l'environnement juridique de la prise de drogues par les coureurs. Mais les coureurs sont très hostiles à ce mouvement antidopage : lorsqu'en 1966 interviennent les premiers contrôles surprises, les coureurs, emmenés par Jacques Anquetil — qui revendiquent leur liberté de consommer les produits qu'ils jugent utiles pour eux —, font une grève, considérant que leur droit au travail et leur dignité sont atteints. Depuis lors, les coureurs ne cessent de reprocher à la lutte antidopage de les empêcher de soigner correctement leurs maladies.

À partir de 1965, les sanctions prises à l'encontre des coureurs sont relativement peu sévères : elles n'entraînent jamais d'exclusion de long terme du circuit cycliste ou de peines lourdes [McGann et McGann, 2008]. Certains coureurs sont mis hors course : c'est le cas de José Samyn et Jean Stablinski suite à leur

« Les forçats de la route », d'Albert Londres (1924)

Les frères Henri et Francis Pélissier, deux champions cyclistes français d'entre-deux-guerres, courent le Tour de France pour le gagner et, si c'est impossible, préfèrent abandonner. C'est ainsi qu'Henri, après avoir brillé, quitte le Tour 1919, et que les deux frères quittent le Tour 1920. Henri gagne ensuite le Tour 1923. Mais en 1924, de nouveau, les deux frères quittent le Tour, sans doute parce qu'ils s'aperçoivent qu'ils ne pourront pas battre Ottavio Bottecchia. Toutefois, ils prétendent qu'ils abandonnent pour protester contre certaines règles de course qu'ils considèrent comme abusives, telle l'interdiction de jeter ses vêtements et ses affaires pendant la course même si la température s'est réchauffée.

Le journaliste Albert Londres, qui revient d'un reportage au bagne de Cayenne et couvre le Tour pour *Le Petit Parisien* — un concurrent de *L'Auto* —, rejoint les deux coureurs au café de la gare de Coutances et les interroge sur leur expérience. L'article qu'il en tire contient l'interview des frères Pélissier, bien décidés à faire du tort à l'organisateur du Tour. En voici un extrait [Londres, 2009] :

« Les Pélissier n'ont pas que des jambes, ils ont une tête et, dans cette tête, du jugement.

Vous n'avez pas idée de ce qu'est le Tour de France, dit Henri, c'est un calvaire. Et encore le chemin de croix n'avait que quatorze stations, tandis que le nôtre en compte quinze. Nous souffrons du départ à l'arrivée. Voulez vous voir comment nous marchons ?

— Tenez.

De son sac, il sort une fiole :

— Ça, c'est de la cocaïne pour les yeux, ça, c'est du chloroforme pour les gencives.

— Ça, dit Ville, vidant aussi sa musette, c'est de la pommade pour me chauffer les genoux.

— Et des pilules. Voulez-vous voir des pilules ? Tenez voilà des pilules.

Ils en sortent trois boîtes chacun.

— Bref ! dit Francis, nous marchons à la "dynamite" !

Henri reprend.

— Vous ne nous avez pas encore vus au bain à l'arrivée. Payez-vous

contrôle positif en 1968, du maillot jaune Michel Pollentier après sa tentative de fraude lors d'un contrôle antidopage en 1978, de Djamolidine Abdoujaparov à la suite de son contrôle positif en 1997, etc. Mais d'autres ne sont que déchus de leur victoire d'étape, comme Régis Ovion en 1976, et d'autres coureurs contrôlés positifs n'écopent que de pénalités de dix ou quinze minutes : c'est le cas de Rudi Altig, Pierre Matignon et Bernard Guyot en 1969, Hans Junkermann en 1972, Joop Zoetemelk, Luis Ocaña, Joaquim Agostinho et Antonio Menendez en 1977 — un Tour gagné par Bernard Thévenet, alors qu'il a été testé positif sur Paris-Nice en début d'année —, Joop Zoetemelk cette séance. La boue ôtée, nous sommes blancs comme des suaires, la diarrhée nous vide, on tourne de l'œil dans l'eau. Le soir, à notre chambre, on danse la gigue, comme saint Guy, au lieu de dormir. Regardez nos lacets, ils sont en cuir. Eh bien ! ils ne tiennent pas toujours, ils se rompent, et c'est du cuir tanné, du moins on le suppose. Pensez ce que devient notre peau ! Quand nous descendons de machine, on passe à travers nos chaussettes, à travers notre culotte, plus rien ne nous tient au corps.

— Et la viande de notre corps, dit Francis, ne tient plus à notre squelette.

— Et les ongles des pieds, dit Henri, j'en perds six sur dix, ils meurent petit à petit à chaque étape.

— Mais ils renaissent pour l'année suivante, dit Francis.

Et, de nouveau, les deux frères s'embrassent, toujours par-dessus les chocolats.

— Eh bien tout ça — et vous n'avez rien vu, attendez les Pyrénées, c'est le *hard labour* — tout ça nous l'encaissons. Ce que nous ne ferions pas faire à des mulets, nous le faisons. On n'est pas des fainéants, mais, au nom de Dieu, qu'on ne nous embête pas. Nous acceptons le tourment, nous ne voulons pas de vexations ! Je m'appelle Pélissier et non Azor ! J'ai un journal sur le ventre, je suis parti avec, il faut que j'arrive avec. Si je le jette, pénalisation. Quand nous crevons de soif, avant de tendre notre bidon à l'eau qui coule, on doit s'assurer que ce n'est pas quelqu'un, à cinquante mètres, qui la pompe. Autrement : pénalisation. Pour boire, il faut pomper soi-même. Un jour viendra où l'on nous mettra du plomb dans les poches, parce que l'on trouvera que Dieu a fait l'homme trop léger. Si l'on continue sur cette pente, il n'y aura bientôt que des "clochards" et plus d'artistes. Le sport devient fou furieux.

— Oui, dit Ville, fou furieux. »

C'est à la suite de cet article qu'Henri Pélissier est interviewé dans *L'Humanité* et, pendant plusieurs années, présente le Tour comme une entreprise d'exploitation des prolétaires que sont les cyclistes, contraints à l'obéissance et à l'épuisement pour accroître les profits des organisateurs [Thompson, 2006, p. 180-214].

et Giovanni Battaglin en 1979, Joop Zoetemelk encore en 1983, Gert-Jan Theunisse en 1988, etc. Après avoir été testé positif au probénécide, une substance interdite par le Comité international olympique car elle permet de dissimuler les traces de stéroïdes, le maillot jaune du Tour 1988 Pedro Delgado bénéficie d'un non-lieu et reste dans la course du fait que ladite substance n'est pas interdite par l'Union cycliste internationale — elle ne le sera que l'année suivante.

Si le dopage était courant dans le peloton bien avant le début des années 1990, ce n'est qu'à partir de cette période qu'il perd son caractère « artisanal » pour devenir scientifique, et plus précisément médicalisé par le biais de certains médecins d'équipe. À partir du tout début des années 1990 — période où les écarts de rémunérations d'un rang de classement à l'autre augmentent (voir graphique 8) et où le dopage devient donc plus rentable que jamais — apparaissent en effet de nouveaux produits dopants, au premier rang desquels l'érythropoïétine (EPO) et l'hormone de croissance, qui ont pour caractéristiques d'être à la fois extrêmement efficaces et relativement difficiles à détecter : les premiers contrôles de prise d'EPO datent de 2004. En outre, alors que le dopage jusqu'alors utilisé produisait une hausse des performances de courte durée juste après la prise des produits dopants, ces nouveaux produits ont pour caractéristique de devoir être pris tout au long de l'année pour améliorer sur long terme la force et l'endurance à l'entraînement, ce qui requiert d'associer leur prise à une surveillance médicalisée. Les médecins acceptant de surveiller tout au long de l'année les divers paramètres physiologiques des coureurs dopés étant généralement payés au pourcentage des gains des coureurs qu'ils suivent, ils sont incités à les aider à optimiser leurs pratiques dopantes.

Ainsi, en 2007, Bjarne Riis reconnaît rétrospectivement s'être dopé lors du Tour 1996, qu'il a remporté. L'idée selon laquelle une part de la hausse de la performance des coureurs dans les années 1990 et 2000 serait due à ces nouvelles pratiques de dopage est compatible avec les observations les plus minutieuses réalisées sur ce sujet, qui tendent à montrer qu'après avoir stagné des années 1960 aux années 1990, la vitesse moyenne des dix meilleurs coureurs du Tour de France et des autres grands Tours et courses classiques a augmenté de 6,38 % sur la période allant de 1993 à 2008 [El Helou *et al.*, 2010]. Ce n'est qu'à partir de la fin des années 1990 que les organisateurs du Tour de France et plus généralement les autorités du cyclisme et du sport semblent avoir à la fois les moyens et — plus ou moins — la volonté de combattre certaines pratiques de dopage. En 1998 éclate l'« affaire Festina », qui révèle un système collectif et systématique de dopage au sein d'une équipe et qui est suivie de l'expulsion de l'équipe, de l'annulation d'une étape et d'une grève des coureurs. Dans la même lignée, en 2006, Floyd Landis est déchu de sa victoire et, en 2012, Alberto Contador est déchu de sa victoire de 2010, et Jan Ullrich de sa troisième place de 2005. Surtout, Lance Armstrong est déchu en 2012 de ses sept victoires de 1999 à 2005 : un rapport de l'Agence américaine antidopage démontre ainsi que dans les années 1990 et 2000 l'équipe U.S. Postal a mis en place un programme de dopage extrêmement sophistiqué qui a permis à ses coureurs de se doper systématiquement sans qu'aucun soit pour autant contrôlé positif par les tests alors en vigueur [U.S. Anti-Doping Agency, 2012].

Le fait que le dopage est depuis longtemps généralisé sur le Tour de France et plus généralement dans le cyclisme professionnel s'explique aisément. Étant donné d'une part l'existence de produits illicites permettant d'améliorer les performances et l'importance considérable du surcroît de rémunération associé à un surcroît de performance très modeste, et d'autre part le très faible risque d'être détecté et sanctionné, il est extrêmement tentant pour chaque coureur de recourir au dopage. Cela est d'autant plus vrai si un coureur peut en soupçonner certains autres de se doper, et craindre ainsi d'être le seul à ne pas en bénéficier [Eber, 2008, 2009]. Contrairement à ce que le public semble parfois penser, ce n'est pas le caractère supposément surhumain de l'effort qui est exigé des coureurs du Tour qui les conduirait à se doper. Le dopage s'observe aussi dans des sports exigeant des efforts très brefs, comme le sprint, et le dopage sur le Tour ne semble en aucun cas avoir baissé des années 1900 aux années 2000 avec la baisse de la distance moyenne par jour de course (voir graphique 15). C'est plutôt le degré de concurrence entre coureurs pour gagner la course et les gratifications afférentes (argent, prestige, etc.) qui joue.

Dans ce cadre, peu nombreux sont les acteurs du cyclisme qui ont intérêt à dénoncer la pratique du dopage. Il semble tout d'abord que la plupart des coureurs ont le sentiment d'avoir le droit moral, dans le cadre de l'exercice de leur profession, d'utiliser diverses substances leur permettant de « se soigner », c'est-à-dire d'améliorer leurs performances, mais aussi de réduire les terribles sensations de douleur que produit la compétition cycliste : après tout, le dopage n'a de conséquences médicales que sur ceux qui le pratiquent et, en professionnels, ils connaîtraient les produits et les quantités qu'il convient d'absorber [Brissonneau *et al.*, 2008]. Lors des dernières décennies, le peloton s'est à plusieurs reprises mobilisé en faveur des coureurs contrôlés positifs, notamment pour dénoncer l'humiliation à laquelle ils font face : en 1983, le peloton menace de faire une grève si, à la suite de son contrôle positif, Patrick Clerc est exclu du Tour ; en 1988, le peloton fait une courte grève en soutien à Pedro Delgado ; en 1998 encore, les coureurs protestent, lors des 12e et 17e étapes, non pas contre la présence de tricheurs au sein du peloton — Laurent Brochard, Christian Meier, Christophe Moreau et Alex Zülle sont en train d'avouer s'être dopés —, mais bien contre le traitement supposément indigne qui leur est réservé [McGann et McGann, 2008]. Dans ce contexte, s'ils dénoncent les pratiques dont ils ont connaissance — ce qu'ils appellent « cracher dans la soupe » —, les coureurs, qu'ils se dopent ou non, risquent d'être écartés de leur équipe, du peloton et des épreuves majeures du calendrier cycliste. Ainsi, Filippo Simeoni, un coureur qui avait avoué s'être dopé à l'EPO et aux hormones de croissance par le biais du Dr Michele Ferrari — lui-même proche de Lance Armstrong —, s'était vu, lors de son échappée dans la 18e étape du Tour 2004, pris en chasse par Lance Armstrong lui-même, qui voulait ainsi sanctionner ses déclarations et faire respecter le code du silence qui pèse sur le sujet, « dans l'intérêt du peloton ». Les organisateurs des courses cyclistes, qui cherchent à accueillir les meilleurs coureurs et à accroître leur audience télévisée, et les fédérations cyclistes nationales ou internationales, qui cherchent à développer la pratique de leur sport et donc à en diffuser une image attractive, n'ont pas non plus intérêt à lutter contre le dopage de manière efficace, et ce d'autant moins qu'une telle lutte est relativement onéreuse. Comme, en outre, les coureurs savent que l'action des organisateurs et fédérations n'est pas efficace, cela ne peut que renforcer leur tentation de se doper. En l'absence de preuves formelles que tel ou tel coureur se dope, les journalistes sont réticents à dénoncer l'existence de pratiques de dopage qu'ils n'ignorent pas. Le grand public, quant à lui, se montre remarquablement tolérant de la pratique du dopage, peut-être parce qu'il considère que si la plupart des coureurs se dopent, la victoire revient malgré tout au coureur le plus talentueux et/ou le plus courageux. Cela est toutefois contestable, puisque tous les coureurs ne se dopent pas, une même pratique dopante peut favoriser certains coureurs par rapport à d'autres, et surtout parmi les coureurs dopés certains bénéficient de pratiques dopantes plus sophistiquées que d'autres. Les seuls acteurs qui peuvent parler à moindre coût pour leur carrière sont ceux qui, retraités ou en fin de carrière — comme Jacques Anquetil, qui n'a pas caché qu'à force de piqûres d'amphétamines ses fesses ressemblaient à des « écumoires », Laurent Fignon ou Bjarne Riis —, ou déjà sanctionnés — comme Bernard Thévenet —, n'ont plus grand-chose à perdre.

Il semble toutefois qu'on assisterait, depuis 2008, à une réduction des pratiques de dopage au sein du Tour. C'est ce que semble indiquer la baisse des performances des coureurs par rapport à celles qui, de 1991 à la fin des années 2000, ont été favorisées par le dopage à l'EPO. Par exemple, les trois cols hors catégorie qui ont été franchis lors du Tour de France 2011 dans des conditions similaires à celles des années 1990 et 2000 — Luz Ardiden, plateau de Beille et Alpe-d'Huez (voir graphique 20) — ont chacun été franchis avec au moins trois minutes de retard sur les temps réalisés dans les années 1990 et 2000 [Tucker et Dugas, 2013]. De même, si l'on mesure les performances des coureurs non plus à leur chronométrage mais à la puissance mécanique qu'ils développent lors des ascensions (en watts par kilogramme), il apparaît qu'aucun des cols hors catégorie des Tours 2010 ou 2011 n'a été franchi à 6,2 ou *a fortiori* 6,4 W/kg, alors que cela était courant dans les années 1990 et 2000.

En outre, cette baisse substantielle des performances des coureurs semble intervenir à partir de 2008, alors qu'est introduit le passeport biologique. Une étude fournit à ce sujet des

Graphique 20. **Durée d'ascension de l'Alpe-d'Huez (en minutes) (1986-2011)**

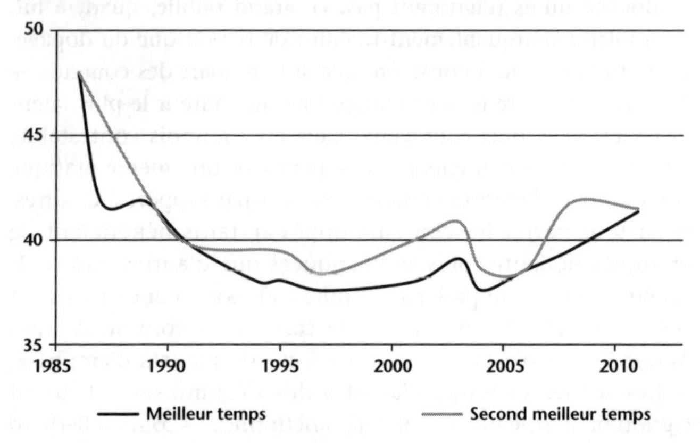

Note : l'ascension 2004 est un contre-la-montre individuel.

Source : <en.wikipedia.org/wiki/Alpe_d%27Huez>.

indications fortes de l'évolution des pratiques de dopage chez les coureurs du peloton : on observerait une utilisation relativement massive d'EPO jusqu'en 2002, puis, après l'introduction en 2002 de tests urinaires anti-EPO, le dopage à l'EPO aurait été remplacé par un dopage par autotransfusion sanguine de globules rouges à partir de 2003, puis à la suite de l'introduction en 2008 du passeport biologique les pratiques dopantes se seraient fortement atténuées [Zorzoli et Rossi, 2010]. Il est toutefois trop tôt pour affirmer que le passeport biologique est dissuasif et le restera. En effet, si un coureur considère que la prévalence du dopage dans le Tour baisse, il peut être plus que jamais tenté de se doper lui-même.

Il est aisément compréhensible que les coureurs cyclistes — praticiens d'un sport qui, plus que tout autre, exige force, endurance et résistance à la douleur — aient été tentés de se doper et les organisateurs du Tour, soucieux de conserver leur public, peu enclins à tout faire pour lutter contre ces pratiques.

La motivation des organisateurs du Tour à combattre le dopage ne date que de la fin des années 1990, lorsque est révélé au grand public le caractère systématique du dopage dans le cyclisme professionnel, et ce n'est qu'une décennie plus tard que cette lutte semble commencer à porter ses fruits.

Conclusion

Cet ouvrage a cherché à montrer que si l'histoire du Tour de France depuis 1903 témoigne de l'émergence d'une culture de masse — société de consommation, civilisation des loisirs et société de *mass media* —, là n'est pas son seul intérêt. Le Tour constitue aussi une arène où les organisateurs, les coureurs et les spectateurs ne cessent de débattre de l'évolution des techniques, des transformations socioéconomiques (industrialisation et « fin des paysans »), des relations de classe, des identités régionales et de leur intégration dans la nation française, des idéologies politiques, des relations internationales, notamment les guerres, de l'héroïsme et de la morale, etc. [Thompson, 2006]. Mais l'histoire du Tour est avant tout celle d'un spectacle sportif à visée commerciale, dont les permanences et les évolutions renseignent en dernier ressort sur l'histoire économique de l'épreuve et plus largement de la France.

De sa création en 1903 jusqu'à sa dernière édition d'entre-deux-guerres, en 1939, le Tour de France est une entreprise dont les recettes proviennent, d'abord, du surcroît de ventes de *L'Auto*, qui lui-même accroît les recettes publicitaires du journal ; ensuite, du sponsoring d'un spectacle sportif par les annonceurs de la branche du cycle et du pneumatique, une branche en pleine croissance, dans laquelle les marques cherchent à prouver par leur victoire la qualité de leurs produits ; enfin, de la vente du passage de ce spectacle sportif à des villes-étapes en recherche d'activité économique et de publicité. Les lecteurs de

L'Auto recherchant des récits épiques, jusqu'à la première moitié des années 1920 chaque étape dépasse en moyenne 300 km et 10 heures de course, et les abandons de coureurs sont fréquents. La diffusion du Tour à la radio à partir de la seconde moitié des années 1920 conduit les organisateurs à réduire fortement la distance et la durée des étapes, tout en augmentant leur nombre et en réduisant le nombre de jours de repos, ce qui a pour effet de réduire le taux d'abandon des coureurs et d'accroître leur vitesse. Les sponsors d'équipes étant par ailleurs accusés par les organisateurs de verrouiller la course, ils sont en 1930, et jusqu'en 1961, évincés de la course.

De sa reprise après guerre en 1947 jusqu'au milieu des années 1980, le Tour de France est une entreprise dont les recettes proviennent non plus véritablement d'un surcroît de ventes de *L'Équipe* ou du *Parisien libéré,* désormais concurrencés pour le récit du Tour par des quotidiens généralistes ainsi que la radio, mais plutôt de la vente d'un spectacle sportif à des annonceurs de secteurs de plus en plus divers de l'industrie et des services, ainsi que de la vente du passage de ce spectacle sportif à des villes-étapes, elles aussi de plus en plus diverses. Le nombre de spectateurs sur le bord des routes croît jusque dans les années 1960 pour atteindre l'équivalent de près de 40 % de la population française puis, à partir des années 1960, c'est le nombre de téléspectateurs potentiels qui croît. La diffusion du Tour à la télévision conduit les organisateurs à réduire encore la distance et la durée des étapes, ce qui a de nouveau pour effet de réduire le taux d'abandon des coureurs et d'accroître leur vitesse. Le spectacle du Tour est ainsi adapté pour être vu, plutôt que lu. Par ailleurs, depuis que les sociétés de cycles et de pneumatiques, en crise, cessent de sponsoriser le Tour, les organisateurs et les commentateurs de l'épreuve sont conduits à vanter les « valeurs » du sport : comment, sinon, attirer des sponsors dont les produits sont sans rapport avec le cyclisme ?

Depuis le milieu des années 1980, le Tour de France est une entreprise dont les recettes, considérablement supérieures à ce qu'elles avaient jusqu'alors été, proviennent de la vente d'un spectacle sportif à des diffuseurs télévisés et à des annonceurs de secteurs divers, ces annonceurs étant prêts à payer au Tour un prix d'autant plus élevé que les téléspectateurs sont plus nombreux, non seulement en France mais dans le monde entier. L'explosion du chiffre d'affaires du Tour, qui décuple entre 1980 et 2000, s'explique ainsi par la mise en concurrence des chaînes télévisées pour obtenir les droits de retransmission : entre 1980 et 2000, ces droits sont multipliés par environ soixante-cinq. En outre, l'européanisation puis, à partir des années 1980, la relative mondialisation des nationalités des coureurs tendent à étendre l'intérêt pour le Tour, accroissant encore sa valeur commerciale. Le remplacement, en 1985, du sponsor Perrier au profit de Coca-Cola est à cet égard symbolique du début de la mondialisation du Tour. Le Tour de France cherchant à motiver les meilleurs coureurs à produire le spectacle sportif le plus attractif, l'essor de son chiffre d'affaires profite aussi aux coureurs : de 1980 à 2000, les primes ont été multipliées par environ 3,5 pour le coureur moyen et par dix pour le vainqueur. Si le spectacle offert au début du XXIe siècle comprend certainement moins d'héroïsme qu'au début du XXe siècle, il offre aussi plus de performances et des écarts de performances entre champions qui sont plus réduits.

Le présent ouvrage est cependant loin d'épuiser les recherches sur l'histoire du Tour de France. Reste notamment à écrire une histoire mondiale du Tour de France et de sa réception dans les divers pays du monde. Reste aussi à écrire l'histoire d'autres événements sportifs à l'aide d'indicateurs quantitatifs du type de ceux ici présentés.

Chronologie du Tour de France

1903	Première édition du Tour, organisé par *L'Auto*
1903-1904	Classement au temps ; la distance moyenne parcourue par jour de course dépasse 404 km : le record
1903-1909	Le Tour est une course strictement individuelle
1905-1912	Classement par points
1906-1909	Le Tour passe en Alsace-Moselle allemande
1908	Petit-Breton est le premier à gagner deux fois le Tour
1909	Pour la première fois le Tour franchit les Pyrénées ; pour la première fois ce n'est pas un Français qui gagne (c'est Faber, un Luxembourgeois)
1910	Création de la voiture-balai
1910-1914	Le Tour est une course individuelle et en équipes (de marques)
1912	Christophe mène une échappée solitaire de 315 km
1913-	Classement au temps
1915-1918	Le Tour cesse d'être organisé
1919	Création du maillot jaune de leader ; le Tour passe par Strasbourg et Metz ; plus de 84 % des engagés ne finissent pas le Tour : un record
1919-1924	Le Tour est une course strictement individuelle

1924	Londres publie « Les forçats de la route »
1920	Thys est le premier à gagner trois fois le Tour
1925-1937	Le Tour est une course individuelle et en équipes : équipes de marques jusqu'en 1929, équipes nationales de 1930 à 1937
1926	Le parcours du Tour atteint 5 745 km : un record ; pour la première fois le Tour ne part pas de la région parisienne (il part d'Évian)
1927-1929	L'équipe Alcyon, qui gagne trois fois le Tour de suite, est accusée de verrouiller la course
1930	Création de la « caravane » du Tour
1933	Création du challenge du meilleur grimpeur, qui devient en 1975 « maillot à pois » ; record de ventes de *L'Auto*, le lendemain de la victoire du Français Speicher
1934	Création du contre-la-montre individuel ; « sacrifice » de Vietto pour Magne ; le coureur moyen du Tour gagne plus de 17 fois le salaire mensuel moyen de l'époque : un record
1935	Décès de Cespeda sur chute
1937	Autorisation du dérailleur
1938	Le Tour est une course strictement en équipes : équipes nationales en 1938, équipes nationales et régionales de 1939 à 1961, équipes de marques depuis 1962 (sauf en 1967-1968 : équipes nationales)
1939	Les coureurs allemands, italiens et espagnols s'absentent du Tour
1940-1946	Le Tour cesse d'être organisé
1947-1964	*L'Auto* ayant disparu, ce sont *L'Équipe* et *Le Parisien libéré* qui organisent le Tour
1947	Pour la première fois une étape se court entièrement à l'étranger (entre Bruxelles et Luxembourg)
1953	Cinquantenaire du Tour ; création du maillot vert du classement par points
1954	Pour la première fois le Tour part de l'étranger (Amsterdam)
1954-1983	Blondin suit le Tour pour *L'Équipe*

1956	Le maillot jaune change d'épaules presque tous les trois jours de course : un record
1963	Anquetil est le premier à gagner quatre fois le Tour
1964	La rivalité Anquetil-Poulidor atteint son maximum ; le taux de fréquentation des routes du Tour atteint lui aussi son maximum (l'équivalent de près de 40 % de la population française) ; Anquetil est le premier à gagner cinq fois le Tour
1965-	Loi antidopage ; les Éditions Philippe Amaury organisent seules le Tour
1966	Grève des coureurs à Gradignan pour protester contre les contrôles antidopage surprise
1967	Création du prologue ; décès de Simpson par épuisement
1969	Merckx cumule les trois maillots ; Montand chante *À bicyclette*
1974	Merckx gagne son 5e Tour sur les cinq qu'il a courus
1975-	Création du maillot blanc du meilleur jeune ; l'arrivée du Tour a lieu sur les Champs-Élysées
1978	Grève des coureurs à Valence d'Agen ; suite à un contrôle antidopage le maillot jaune Pollentier est mis hors course
1983	Formule « open »
1986	Le Tour compte 210 coureurs engagés : le record
1989	LeMond gagne à la dernière étape avec huit secondes d'avances sur Fignon
1991	Le vainqueur du Tour (Indurain) remporte 2 000 000 F, soit plus de 43 fois plus que la moyenne des coureurs : le record
1992	Cinq vainqueurs du Tour sont au départ (un record) ; le Tour traverse sept des douze pays d'Europe qui ont signé le traité de Maastricht
1995	Décès de Casartelli sur chute
1998	Affaire Festina
1999	La vitesse moyenne du vainqueur (Armstrong) dépasse 42 km/h : le record

2003	Édition du centenaire du Tour
2004	Armstrong est le premier à gagner six fois le Tour
2005	Le contre-la-montre par équipe Tours-Blois (67,5 km) est mené à la vitesse moyenne de 57,3 km/h : le record ; Armstrong est le premier à gagner sept fois le Tour
2012	Contador est déchu de sa victoire de 2010, et Armstrong de ses victoires de 1999-2005
2013	100e édition du Tour

Annexe statistique

	Parcours	Course	Coureurs	Vainqueur [1]		Premier prix
	Distance totale (km)	Jours de course (prologue inclus) et de repos	Engagés (partants) et classés (arrivés)	Nom	Vitesse moyenne (km/h)	(Francs jusqu'en 1959, francs nouveaux de 1960 à 2001, euros à partir de 2002)
1903	2 428	6 ; 13	60 ; 21	Maurice Garin	25,68	3 000
1904	2 428	6 ; 17	88 ; 27	Henri Cornet	25,27	5 000
1905	2 994	11 ; 11	60 ; 24	Louis Trousselier	27,11	4 000
1906	4 637	13 ; 13	82 ; 14	René Pottier	24,46	5 000
1907	4 488	14 ; 14	93 ; 33	Lucien Petit-Breton	28,27	4 000
1908	4 488	14 ; 14	112 ; 36	Lucien Petit-Breton	28,61	4 000
1909	4 497	14 ; 14	150 ; 55	François Faber	28,64	5 000
1910	4 734	15 ; 14	110 ; 41	Octave Lapize	29,10	5 000
1911	5 343	15 ; 14	84 ; 28	Gustave Garrigou	27,31	5 000
1912	5 289	15 ; 15	131 ; 41	Odile Defraye	27,76	5 000

1. Sont signalés en gras les noms des vainqueurs dont la victoire n'est plus homologuée au 01/01/2014 et qui n'ont pas été remplacés.

	Parcours	Course	Coureurs	Vainqueur		Premier prix
	Distance totale (km)	Jours de course (prologue inclus) et de repos	Engagés (partants) et classés (arrivés)	Nom	Vitesse moyenne (km/h)	(Francs jusqu'en 1959, francs nouveaux de 1960 à 2001, euros à partir de 2002)
1913	5 287	15 ; 14	140 ; 25	Philippe Thys	26,72	5 000
1914	5 380	15 ; 14	145 ; 54	Philippe Thys	26,84	5 000
1919	5 560	15 ; 14	69 ; 11	Firmin Lambot	24,06	5 000
1920	5 503	15 ; 14	113 ; 22	Philippe Thys	24,07	15 000
1921	5 485	15 ; 14	123 ; 38	Léon Scieur	24,72	15 000
1922	5 375	15 ; 14	121 ; 38	Firmin Lambot	24,20	10 000
1923	5 386	15 ; 14	139 ; 48	Henri Pélissier	24,23	10 000
1924	5 425	15 ; 14	157 ; 60	Ottavio Bottecchia	23,97	10 000
1925	5 440	18 ; 11	130 ; 49	Ottavio Bottecchia	24,82	15 000
1926	5 745	17 ; 12	126 ; 41	Lucien Buysse	24,06	15 000
1927	5 398	24 ; 5	142 ; 39	Nicolas Frantz	27,22	12 000
1928	5 476	22 ; 7	162 ; 41	Nicolas Frantz	28,40	12 000
1929	5 286	22 ; 7	155 ; 60	Maurice De Waele	28,32	10 000
1930	4 822	21 ; 5	100 ; 59	André Leducq	28,00	72 000
1931	5 091	24 ; 3	81 ; 35	Antonin Magne	28,74	25 000
1932	4 479	21 ; 5	80 ; 57	André Leducq	29,04	30 000
1933	4 395	23 ; 4	80 ; 40	Georges Speicher	29,72	30 000
1934	4 470	23 ; 4	60 ; 39	Antonin Magne	30,36	30 000
1935	4 338	21 ; 4	93 ; 46	Romain Maes	30,68	
1936	4 442	21 ; 6	90 ; 43	Sylvère Maes	31,11	100 000
1937	4 415	20 ; 6	98 ; 46	Roger Lapébie	31,77	200 000

	Parcours	Course	Coureurs	Vainqueur		Premier prix
	Distance totale (km)	Jours de course (prologue inclus) et de repos	Engagés (partants) et classés (arrivés)	Nom	Vitesse moyenne (km/h)	(Francs jusqu'en 1959, francs nouveaux de 1960 à 2001, euros à partir de 2002)
1938	4 694	23 ; 4	96 ; 55	Gino BARTALI	31,61	100 000
1939	4 224	18 ; 3	79 ; 49	Sylvère MAES	31,99	100 000
1947	4 642	21 ; 5	100 ; 53	Jean ROBIC	31,32	500 000
1948	4 922	21 ; 5	120 ; 44	Gino BARTALI	33,44	600 000
1949	4 808	21 ; 4	120 ; 55	Fausto COPPI	32,12	1 000 000
1950	4 773	22 ; 4	116 ; 51	Ferdi KÜBLER	32,78	1 000 000
1951	4 690	24 ; 2	123 ; 66	Hugo KOBLET	32,95	1 000 000
1952	4 898	23 ; 2	122 ; 78	Fausto COPPI	32,23	1 000 000
1953	4 476	22 ; 2	119 ; 76	Louison BOBET	34,59	2 000 000
1954	4 656	23 ; 2	110 ; 69	Louison BOBET	33,23	2 000 000
1955	4 495	22 ; 2	130 ; 69	Louison BOBET	34,45	2 000 000
1956	4 498	22 ; 2	120 ; 88	Roger WALKOWIAK	36,27	2 000 000
1957	4 669	22 ; 2	120 ; 56	Jacques ANQUETIL	34,40	2 000 000
1958	4 319	24 ; 0	120 ; 78	Charly GAUL	36,92	2 000 000
1959	4 358	22 ; 2	120 ; 65	Federico BAHAMONTES	35,21	2 000 000
1960	4 173	21 ; 1	128 ; 81	Gastone NENCINI	37,21	20 000
1961	4 397	21 ; 1	132 ; 72	Jacques ANQUETIL	36,03	20 000
1962	4 274	22 ; 0	149 ; 94	Jacques ANQUETIL	37,32	20 000
1963	4 138	21 ; 1	130 ; 76	Jacques ANQUETIL	36,46	20 000
1964	4 504	22 ; 1	132 ; 81	Jacques ANQUETIL	35,42	20 000
1965	4 188	22 ; 1	130 ; 96	Felice GIMONDI	35,89	20 000

	Parcours	Course	Coureurs	Vainqueur		Premier prix
	Distance totale (km)	Jours de course (prologue inclus) et de repos	Engagés (partants) et classés (arrivés)	Nom	Vitesse moyenne (km/h)	(Francs jusqu'en 1959, francs nouveaux de 1960 à 2001, euros à partir de 2002)
1966	4 329	22 ; 2	130 ; 82	Lucien AIMAR	36,82	20 000
1967	4 779	23 ; 2	130 ; 88	Roger PINGEON	34,91	20 000
1968	4 492	23 ; 2	110 ; 63	Jan JANSSEN	33,57	20 000
1969	4 117	23 ; 0	130 ; 86	Eddy MERCKX	35,41	20 000
1970	4 254	24 ; 0	150 ; 100	Eddy MERCKX	35,59	20 000
1971	3 608	21 ; 2	130 ; 94	Eddy MERCKX	37,29	20 000
1972	3 846	21 ; 2	132 ; 88	Eddy MERCKX	35,52	20 000
1973	4 090	21 ; 2	132 ; 87	Luis OCANA	33,41	20 000
1974	4 098	23 ; 2	130 ; 105	Eddy MERCKX	35,24	30 000
1975	4 000	23 ; 2	140 ; 86	Bernard THÉVENET	34,91	30 000
1976	4 017	23 ; 2	130 ; 87	Lucien VAN IMPE	34,52	100 000
1977	4 096	23 ; 2	100 ; 53	Bernard THÉVENET	35,42	100 000
1978	3 908	23 ; 2	110 ; 78	Bernard HINAULT	36,08	100 000
1979	3 765	25 ; 1	150 ; 90	Bernard HINAULT	36,51	100 000
1980	3 842	23 ; 3	130 ; 85	Joop ZOETEMELK	35,14	100 000
1981	3 753	23 ; 2	150 ; 121	Bernard HINAULT	38,96	130 000
1982	3 507	22 ; 2	169 ; 125	Bernard HINAULT	38,06	150 000
1983	3 809	23 ; 1	140 ; 88	Laurent FIGNON	36,23	160 000
1984	4 021	24 ; 0	170 ; 124	Laurent FIGNON	35,88	160 000

	Parcours	Course	Coureurs	Vainqueur		Premier prix
	Distance totale (km)	Jours de course (prologue inclus) et de repos	Engagés (partants) et classés (arrivés)	Nom	Vitesse moyenne (km/h)	(Francs jusqu'en 1959, francs nouveaux de 1960 à 2001, euros à partir de 2002)
1985	4 109	23 ; 1	180 ; 144	Bernard HINAULT	36,23	120 000
1986	4 094	23 ; 1	210 ; 132	Greg LEMOND	37,02	300 000
1987	4 231	24 ; 2	207 ; 135	Stephen ROCHE	36,64	300 000
1988	3 286	20 ; 1	198 ; 151	Pedro DELGADO	38,90	808 000
1989	3 285	21 ; 2	198 ; 138	Greg LEMOND	37,48	1 500 000
1990	3 504	21 ; 2	198 ; 156	Greg LEMOND	38,62	2 000 000
1991	3 914	22 ; 1	198 ; 158	Miguel INDURAIN	38,74	2 000 000
1992	3 983	22 ; 1	198 ; 130	Miguel INDURAIN	39,50	2 000 000
1993	3 714	21 ; 2	180 ; 136	Miguel INDURAIN	38,71	2 000 000
1994	3 978	22 ; 1	189 ; 117	Miguel INDURAIN	38,38	2 200 000
1995	3 635	21 ; 2	189 ; 115	Miguel INDURAIN	39,19	2 200 000
1996	3 765	22 ; 1	198 ; 129	Bjarne RIIS	39,24	2 200 000
1997	3 950	22 ; 1	198 ; 139	Jan ULLRICH	39,30	2 200 000
1998	3 875	22 ; 1	189 ; 96	Marco PANTANI	41,74	2 200 000
1999	3 870	21 ; 2	180 ; 141	**Lance ARMSTRONG**	42,28	2 200 000
2000	3 662	21 ; 2	177 ; 128	**Lance ARMSTRONG**	39,57	2 200 000
2001	3 458	21 ; 2	189 ; 144	**Lance ARMSTRONG**	40,07	2 200 000
2002	3 278	21 ; 2	189 ; 153	**Lance ARMSTRONG**	39,93	335 390

	Parcours	Course	Coureurs	Vainqueur		Premier prix
	Distance totale (km)	Jours de course (prologue inclus) et de repos	Engagés (partants) et classés (arrivés)	Nom	Vitesse moyenne (km/h)	(Francs jusqu'en 1959, francs nouveaux de 1960 à 2001, euros à partir de 2002)
2003	3 427	21 ; 2	198 ; 147	**Lance ARMSTRONG**	40,95	400 000
2004	3 391	21 ; 2	188 ; 147	**Lance ARMSTRONG**	40,56	400 000
2005	3 593	21 ; 2	189 ; 155	**Lance ARMSTRONG**	41,66	400 000
2006	3 657	21 ; 2	176 ; 139	Oscar PEREIRO	40,79	450 000
2007	3 570	21 ; 2	189 ; 140	Alberto CONTADOR	39,23	450 000
2008	3 559	21 ; 2	180 ; 145	Carlos SASTRE	40,50	450 000
2009	3 445	21 ; 2	180 ; 145	Alberto CONTADOR	40,15	450 000
2010	3 642	21 ; 2	198 ; 170	**Alberto CONTADOR**	39,60	450 000
2011	3 430	21 ; 2	198 ; 167	Cadel EVANS	39,79	450 000
2012	3 497	21 ; 2	198 ; 153	Bradley WIGGINS	39,93	450 000
2013	3 479	21 ; 2	198 ; 169	Christopher FROOME	40,54	450 000
2014	3 656	21 ; 2				
2015						

Références bibliographiques

A.S.O. et AUGENDRE J. [2013], *Le Tour de France. Guide historique*, Paris, Éditions A.S.O., voir <www.letour.com/le-tour/2014/docs/Historique-VERSION_INTEGRALE-fr.pdf>.

ANDREFF W. [2013], « Économie du cyclisme : succès commercial et équilibre compétitif du Tour de France », colloque « Le vélo et le droit : transport et sport », université du Havre, 2013.

ANDREFF W. et NYS J.-F. [2002], *Économie du sport*, Paris, PUF.

BARTHES R. [1957], *Mythologies*, Paris, Seuil.

BLONDIN A. [2001], *Tours de France. Chroniques de* L'Équipe, *1954-1982*, Paris, La Table Ronde.

BŒUF J.-L. et LÉONARD Y. [2003], *La République du Tour de France*, Paris, Seuil.

BOLOTNY F. [2009], « Football in France », *in* ANDREFF W. et SZYMANSKI S. (dir.), *Handbook on the Economics of Sport*, Northampton, Edward Elgar, p. 497-513.

BOLOTNY F. et BOURG J.-F. [2009], « The demand for media coverage », *in* ANDREFF W. et SZYMANSKI S. (dir.), *Handbook on the Economics of Sport*, Northampton, Edward Elgar, p. 112-133.

BORG A. [2010], « De l'affaire Dreyfus au Réveil Matin », *SportVox*.

BOURG J.-F. et GOUGUET J.-J. [2010], *Économie du sport*, Paris, La Découverte.

BOURY P. [1997], *La France du Tour. Le Tour de France : un espace sportif à géographie variable*, Paris, L'Harmattan.

BRISSONNEAU C., AUBEL O. et OHL F. [2008], *L'Épreuve du dopage. Sociologie du cyclisme professionnel*, Paris, PUF.

CALVET J. [1981], *Le Mythe des géants de la route*, Grenoble, PUG.

CANDELON B. et DUPUY A. [2010], « Hierarchical organization and inequality in an economy with an implicit market for productive time », *IZA Discussion Paper*, nº 5391, p. 1-59.

CHAIX P. [2009], « The economics of professional rugby », *in* ANDREFF W. et SZYMANSKI S. (dir.), *Handbook on the Economics of Sport*, Northampton, Edward Elgar, p. 573-584.

CHANY P. et CAZENEUVE T. [2003], *La Fabuleuse Histoire du Tour de France*, Genève, Minerva.

CHANY P. et PENOT C. [1997], *La Fabuleuse Histoire du cyclisme*, Paris, La Martinière.

CHARRETON P. [2003], « Le Tour de France dans la littérature française », *in* PORTE P. et VILA D. (dir.), *Maillot jaune. Regards sur cent ans du Tour de France*, Anglet, Atlantica, p. 277-300.

DAUNCEY H. et HARE G. [2003], *The Tour de France, 1903-2003. A Century of Sporting Structures, Meanings and Values*, Portland, Frank Cass.

DEMOUVEAUX G. [2007], « Les débats de presse autour de la réorganisation du Tour de France, après la Libération, 1945-1947 », mémoire de séminaire, Lyon.

DESBORDES M. [2009], « The economics of cycling », *in* ANDREFF W. et SZYMANSKI S. (dir.), *Handbook on the Economics of Sport*, Northampton, Edward Elgar, p. 398-410.

DONNAT O. [2011], « Pratiques culturelles, 1973-2008. Dynamiques générationnelles et pesanteurs sociales », *Culture études*, p. 1-36.

DUCLERT V. [2006], *L'Affaire Dreyfus*, Paris, La Découverte.

EBER N. [2006], *Le Dilemme du prisonnier*, Paris, La Découverte.

— [2008], « Le dilemme du sportif », *Revue d'économie politique*, vol. 118, p. 207-227.

— [2009], « Doping », *in* ANDREFF W. et SZYMANSKI S. (dir.), *Handbook on the Economics of Sport*, Northampton, Edward Elgar, p. 773-783.

EL HELOU N., BERTHELOT G., THIBAULT V., TAFFLET M., NASSIF H., CAMPION F., HERMINE O. et TOUSSAINT J.-F. [2010], « Tour de France, Giro, Vuelta and classic European races show a unique progression of road cycling speed in the past 20 years », *Journal of Sports Sciences*, vol. 28, nº 7, p. 789-796.

FALLON L. et BELL A. [2013], *Viva la Vuelta ! 1935-2013*, Norwich, Mousehold Press.

FOURASTIÉ J. [1989], *Le Grand Espoir du XXe siècle*, Paris, Gallimard.

FUMEY G. [2006], « Le Tour de France ou le vélo géographique », *Annales de géographie*, nº 4, p. 388-408.

GABORIAU P. [1991], « Les trois âges du vélo en France », *Vingtième siècle. Revue d'histoire*, nº 29, p. 17-33.

— [1995], *Le Tour de France et le vélo. Histoire sociale d'une épopée contemporaine*, Paris, L'Harmattan.

GARNOTEL X. [2009], *Le Peloton cycliste. Ethnologie d'une culture sportive*, Paris, L'Harmattan.

GENEY L., RENAUD J.-N., VIVIER C., LOUDCHER J.-F. et ROUX J. [2003], « Champions du Tour à la une du *Miroir des sports*, 1919-1939 », *Histoire & sociétés*, nº 7, p. 21-34.

GODDET J. [1991], *L'Équipée belle*, Paris, Laffont/Stock.

GUILLAIN J.-Y. [2003], « Les arrivées finales du Tour de France : valses-hésitations avant le choix des Champs-Élysées », *in* PORTE P. et VILA D. (dir.), *Maillot jaune. Regards sur cent ans du Tour de France*, Anglet, Atlantica, p. 445-464.

INSEE [1952], *Annuaire statistique de la France 1951*, Paris, PUF.

— [1990], *Annuaire rétrospectif de la France, séries longues 1948-1988*, Paris, PUF.

— [2010], *Tableaux de l'économie française – édition 2010*, Paris, INSEE.

JEU B., HUBSCHER R. et DURRY J. [1992], *L'Histoire en mouvements. Le sport dans la société française, XIXe-XXe siècle*, Paris, Colin, 1992.

KALIFA D. [2001], *La Culture de masse en France. 1. 1860-1930*, Paris, La Découverte.

LAGRUE P. [2004], *Le Tour de France. Reflet de l'histoire et de la société*, Paris, L'Harmattan.

LE CHAFFOTEC P. [1992], « Le Tour de France, 1936-1939 : discours, images, représentations », mémoire de DEA.

LEFÈVRE N. [2007], « Le cyclisme d'élite français. Un modèle singulier de formation et d'emploi », Nantes, thèse de doctorat.

Les Échos [2012], « Dossier : Le Tour de France 2012 », 28 juin.

LONDRES A. [2009], *Tour de France, tour de souffrance*, Paris, Éditions du Rocher.

MADDISON A. [2003], *L'Économie mondiale. Statistiques historiques*, OCDE.

MALAPARTE C. [2007], *Les Deux Visages de l'Italie. Coppi et Bartali*, Paris, Bernard Pascuito.

MARCHAND O. et THÉLOT C. [1997], *Le Travail en France. 1800-2000*, Paris, Nathan.

MARCHETTI D. [2003], « The changing organization of the Tour de France and its media coverage. An interview with Jean-Marie Leblanc », *in* DAUNCEY H. et HARE G. (dir.), *The Tour de France, 1903-2003. A Century of Sporting Structures, Meanings and Values*, Portland, Frank Cass, p. 33-56.

MCKAY F. [2011a], « The man who sold the Tour », *Cyclismas*.

— [2011b], « The shadow of the Tour. The post-Tour critérium circuit », *Podium Café*, voir <www.podiumcafe.com/2011/8/16/2365901/the-shadow-of-the-tour-the-post-tour-criterium-circuit>.

MCGANN B. et MCGANN C. [2006], *The Story of the Tour de France*, vol. 1, Indianapolis, Dog Ear Publishing.

— [2008], *The Story of the Tour de France*, vol. 2, Indianapolis, Dog Ear Publishing.

— [2011], *The Story of the Giro d'Italia. A Year-By-Year History of the Tour of Italy. 1909-1970*, vol. 1, Cherokee Village, McGann Publishing.

— [2012], *The Story of the Giro d'Italia. A Year-By-Year History of the Tour of Italy. 1971-2011*, vol. 2, Cherokee Village, McGann Publishing, 2012.

MEOS (Mission des études, de l'observation et des statistiques) [2012], « Licences sportives en 2011 ».

OJD, *Diffusion payée totale par parution*, voir <*www.ojd.com/*>.

OLDS T. [1998], « The mathematics of breaking away and chasing in cycling », *European Journal of Applied Physiology*, n° 77, p. 492-497.

PARIENTE R. [1995], *L'Équipe. 50 ans de sport (1946-1995)*, Paris, Éditions l'Équipe.

PIKETTY T. [2001], *Les Hauts Revenus en France au XXe siècle. Inégalités et redistribution, 1901-1998*, Paris, Grasset.

POYER A. [2003], *Les Premiers Temps des véloce-clubs. Apparition et diffusion du cyclisme associatif français entre 1867 et 1914*, Paris, L'Harmattan.

PRATVIEL E., CHEVALIER G., « Le Tour de France. Retour sur l'engouement de l'opinion pour la Grande Boucle et ses héros », *IFOP Collectors*, 2012, n° 6, p. 1-14.

PRINZ J. et WICKER P. [2012], « Team and individual performance in the Tour de France », *Team Performance Management*, vol. 18, n° 7/8, p. 418-432.

REBEGGIANI L. et TONDANI D. [2008], « Organizational forms in professional cycling. An examination of the efficiency of the UCI pro Tour », *International Journal of Sport Finance*, p. 19-41.

REED E. [2003], « The economics of the Tour, 1930-2003 », *in* DAUNCEY H. et HARE G. (dir.), *The Tour de France, 1903-2003. A Century of Sporting Structures, Meanings and Values*, Portland, Frank Cass, p. 103-127.

RIOUX J.-P. et SIRINELLI J.-F. [2005], *Histoire culturelle de la France contemporaine. 4. Le Temps des masses*, Paris, Seuil.

ROGGE N., VAN REETH D. et VAN PUYENBROECK T. [2013], « Performance evaluation of Tour de France cycling teams using data envelopment analysis », *International Journal of Sport Finance*, p. 236-257.

ROSEN S. [1981], « The economics of superstars », *The American Economic Review*, n° 5, p. 845-858.

ROUSSEL B. [2001], *Tour de vices*, Paris, Hachette.

SANDY R., SLOANE P. J. et ROSENTRAUB M. S. [2004], *The Economics of Sport. An International Perspective*, New York, Palgrave McMillan.

SERAY J. [2003], « La machine vélo et le Tour de France », *in* PORTE P. et VILA D. (dir.), *Maillot jaune. Regards sur cent ans du Tour de France*, Anglet, Atlantica, p. 193-209.

SERAY J. et LABLAINE J. [2006], *Henri Desgrange, l'homme qui créa le Tour de France*, Saint-Malo, Éditions Cristel.

SOBRY C. [2003], « Le Tour de France et le dopage. Un sujet à controverses », *in* PORTE P. et VILA D. (dir.), *Maillot jaune. Regards sur cent ans du Tour de France*, Anglet, Atlantica, p. 465-485.

TERRET T. [2003], « Le Tour, les hommes et les femmes. Essai sur la visibilité masculine et l'invisibilité féminine », *in* PORTE P. et VILA D. (dir.), *Maillot jaune. Regards sur cent ans du Tour de France*, Anglet, Atlantica, p. 211-238.

TÉTART P. (dir.) [2007], *Histoire du sport en France*, Paris, Vuibert.

THOMPSON C. S. [2003], « René Vietto et le Tour de France 1934. Un sacrifice héroïque ou un héros sacrifié ? », *Histoire et sociétés*, n° 7, p. 35-46.

— [2006], *The Tour de France. A Cultural History*, Berkeley, University of California Press.

TORGLER B. [2007], « "La Grande Boucle". Determinants of success at the Tour de France », *Journal of Sports Economics*, p. 317-331.

TUCKER R. et DUGAS J. [2013], « Sports scientists », voir <www.sportsscientists.com/>.

TULLOCK G. [1980], « Efficient rent-seeking », *in* BUCHANAN J. M., TOLLISON R. D. Et TULLOCK G. (dir.), *Toward a Theory of Rent-Seeking Society*, College Station, Texas A&M University Press, p. 97-112.

UNIPUBLIC [2013], « L'historia de la vuelta ciclista a España », voir <www.lavuelta.com/>.

U.S. ANTI-DOPING AGENCY [2012], *Report on Proceedings Under the World Anti-Doping Code and the USADA Protocol. United States Anti-Doping Agency, Claimant, v. Lance Armstrong, Respondent. Reasoned Decision of the United States Anti-Doping Agency on Disqualification and Ineligibility.*

VAN REETH D. [2013], « TV demand for the Tour de France. The importance of stage characteristics versus outcome uncertainty, patriotism and doping », *International Journal of Sport Finance*, p. 39-60.

VIGARELLO G. [1992], « Le Tour de France », *in* NORA P. (dir.), *Les Lieux de mémoire. Les France. 2. Traditions*, Paris, Gallimard, p. 885-925.

VIOLLET S. [2007], *Le Tour de France cycliste, 1903-2005*, Paris, L'Harmattan.

VIVIER C., LOUDCHER J.-F. et RENAUD J.-N. [2003], « Le Tour de France à la "une" de la presse spécialisée hebdomadaire

(1903-1939) », *in* Porte P. et Vila D. (dir.), *Maillot jaune. Regards sur cent ans du Tour de France*, Anglet, Atlantica, p. 515-542.

Wille F. [2003], *Le Tour de France : un modèle médiatique*, Lille, PUS.

Winock M. [1987], *Chronique des années 1960*, Paris, Seuil.

Woodland L. [2003], *The Crooked Path to Victory. Drugs and Cheating in Professional Bicycle Racing*, San Francisco, Cycle Publishing.

Zorzoli M. et Rossi F. [2010], « Implementation of the biological passport : the experience of the International Cycling Union », *Drug Testing and Analysis*, vol. 11-12, p. 542-547.

Table des matières

Collection

R E P È R E S

créée par Michel Freyssenet et Olivier Pastré (en 1983),

dirigée par Jean-Paul Piriou (de 1987 à 2004), *puis par* Pascal Combemale,

avec Serge Audier, Stéphane Beaud, André Cartapanis, Bernard Colasse, Jean-Paul Deléage, Françoise Dreyfus, Claire Lemercier, Yannick L'Horty, Philippe Lorino, Dominique Merllié, Michel Rainelli, Philippe Riutort, Franck-Dominique Vivien et Claire Zalc.

Coordination et réalisation éditoriale : Marieke Joly.

Le catalogue complet de la collection « Repères » est disponible sur notre site **http://www.collectionreperes.com**

GRANDS REPÈRES

Classiques

R E P È R E S

La formation du couple. *Textes essentiels pour la sociologie de la famille*, Michel Bozon et François Héran.

Invitation à la sociologie, Peter L. Berger.

Un sociologue à l'usine. *Textes essentiels pour la sociologie du travail*, Donald Roy.

Dictionnaires

R E P È R E S

Dictionnaire de gestion, Élie Cohen.

Dictionnaire d'analyse économique. *Microéconomie, macroéconomie, monnaie, finance, etc.*, Bernard Guerrien et Ozgur Gun.

Lexique de sciences économiques et sociales, Denis Clerc et Jean-Paul Piriou.

Guides

R E P È R E S

L'art de la thèse. *Comment préparer et rédiger un mémoire de master, une thèse de doctorat ou tout autre travail universitaire à l'ère du Net*, Michel Beaud.

Comment parler de la société. *Artistes, écrivains, chercheurs et représentations sociales*, Howard S. Becker.

Comment se fait l'histoire. *Pratiques et enjeux*, François Cadiou, Clarisse Coulomb, Anne Lemonde et Yves Santamaria.

La comparaison dans les sciences sociales. *Pratiques et méthodes*, Cécile Vigour.

Enquêter sur le travail. *Concepts, méthodes, récits*, Christelle Avril, Marie Cartier et Delphine Serre.

Faire de la sociologie. *Les grandes enquêtes françaises depuis 1945*, Philippe Masson.

Les ficelles du métier. *Comment conduire sa recherche en sciences sociales*, Howard S. Becker.

Le goût de l'observation. *Comprendre et pratiquer l'observation participante en sciences sociales*, Jean Peneff.

Guide de l'enquête de terrain, Stéphane Beaud et Florence Weber.

Guide des méthodes de l'archéologie, Jean-Paul Demoule, François Giligny, Anne Lehoërff et Alain Schnapp.

Guide du stage en entreprise, Michel Villette.

Manuel de journalisme. *Écrire pour le journal*, Yves Agnès.

Voir, comprendre, analyser les images, Laurent Gervereau.

Manuels

R E P È R E S

Analyse macroéconomique 1.

Analyse macroéconomique 2. 17 auteurs sous la direction de Jean-Olivier Hairault.

La comptabilité nationale, Jean-Paul Piriou et Jacques Bournay.

Consommation et modes de vie en France. *Une approche économique et sociologique sur un demi-siècle*, Nicolas Herpin et Daniel Verger.

Déchiffrer l'économie, Denis Clerc.

L'explosion de la communication. *Introduction aux théories et aux pratiques de la communication*, Philippe Breton et Serge Proulx.

Les grandes questions économiques et sociales, sous la direction de Pascal Combemale.

Une histoire de la comptabilité nationale, André Vanoli.

Histoire de la psychologie en France. XIXe-XXe siècles, Jacqueline Carroy, Annick Ohayon et Régine Plas.

Macroéconomie financière, Michel Aglietta.

La mondialisation de l'économie. *De la genèse à la crise*, Jacques Adda.

Nouveau manuel de science politique, sous la direction d'Antonin Cohen, Bernard Lacroix et Philippe Riutort

La théorie économique néoclassique. *Microéconomie, macroéconomie et théorie des jeux*, Emmanuelle Bénicourt et Bernard Guerrien.

Le vote. *Approches sociologiques de l'institution et des comportements électoraux*, Patrick Lehingue.

Composition Facompo, Lisieux (Calvados).
Achevé d'imprimer en mai 2014 sur les presses de
La Nouvelle Imprimerie Laballery à Clamecy (Nièvre).
Dépôt légal : juin 2014
N° de dossier : 405170

Imprimé en France